D0185894

La jeune fille au luth

Andrée Dahan

La jeune fille au luth

roman

TROIS

Cet ouvrage est publié dans la collection TOPAZE.

2033, avenue Jessop, Laval (Québec), H7S 1X3
Tél.: (450) 663-4028, téléc.: (450) 663-1639,
courriel: ed3ama@contact.net

Diffusion pour le Canada:

PROLOGUE
1650, boul. Lionel-Bertrand,
Boisbriand (Québec), J7E 4H4
Tél.: (450) 434-0306
Téléc.: (450) 434-2627

Diffusion pour la France et l'Europe:
D.E.Q.
30, rue Gay Lussac,
75005 Paris France
Tél.: 43 54 49 02
Téléc.: 43 54 39 15

Conseil des Arts du Canada — Canada Council for the Arts

Nous remercions le Conseil des Arts du Canada de l'aide accordée à notre programme de publication

et la Société de développement des entreprises culturelles au Québec pour son appui financier.

Données de catalogage avant publication (Canada)
Dahan, Andrée
La jeune fille au luth

(Collection Topaze)

ISBN 2-89516-040-6

I. Titre. II. Collection.

PS8557.A33J48 2002 C843'.54 C2002-940889-8
PS9557.A33J48 2002
PQ3919.2.D33J48 2002

Dépôt légal: Bibliothèque nationale du Québec
Bibliothèque nationale du Canada
3e trimestre 2002

En page couverture: Bartholomeus Van der Helst (1613–1670), *La musicienne*, huile, Metropolitan Museum of Art, New York

Merci infiniment

À Danielle dont le soutien moral n'a jamais failli et qui avec une amitié confiante, attentive et généreuse a supporté les mots et maux qui ont traversé l'écriture et l'histoire de ce roman.

À Florence qui m'éclaire par sa culture et dont l'aide m'a été aussi précieuse qu'efficace.

À Pauline pour avoir si chaleureusement accepté de faire une lecture amicale de ce récit.

À la mémoire de ma mère,
passagère discrète,
témoin respectueux
de ces moments d'écriture.

Première partie

Chaos cathodique

«On doit tout réviser, même les sanglots...»

Cioran

1

Lorsqu'il l'a regardée descendre de chez lui à une heure aussi tardive et se perdre dans la tempête de neige, Simon a eu l'impression d'assister à une fuite. Elle était partie sans sourire, sans se retourner, sans plus se soucier de sa réaction. Pas un geste d'amitié, pas un mot. Il y avait bien une vague raison: cette émission de télévision et, sur l'écran, cet homme en entrevue dont le visage et les propos l'avaient bouleversée. Quelques banalités à coup sûr que montait en épingle cet ex-prisonnier, scribouilleur, héros ou hochet médiatique. Comment savoir, avec toutes ces vies privées, insignifiantes riches ou criminelles qu'un coup de baguette cathodique élève à la célébrité! Parce que ces talk-shows, c'est un marché florissant. Après tout, le médium n'a pas d'odeur et ses retombées comblent l'homme nouveau, ce mutant, ce voyeur. Pernicieux retour des choses!

Sur l'écran, l'homme et son public semblaient heureux alors qu'elle avait dit: «Violer et tuer puis récolter des applaudissements! Tout est donc pourri?» Puis elle avait bredouillé quelques explications. Il s'agissait d'un fait survenu une quinzaine d'années auparavant, un meurtre. Une jeune fille était morte dans des circonstances troublantes. Et alors qu'elle racontait, Simon avait cru déceler dans ses traits quelque chose de poignant; une colère ou un désespoir glacé. Et pour tenter de reconstruire entre eux le lien détruit par ce fâcheux revenant d'un lointain passé, il avait cherché à l'étreindre. Mais elle s'était crispée. Et cette femme, l'instant d'avant, d'une délirante ardeur n'était plus que dérobade comme si, tout à coup, elle venait d'entendre un signal d'alarme.

Sans se retourner, elle a descendu les marches: il l'a suivie des yeux comme une caméra en plongée avant de la perdre, liquéfiée dans la nuit. Elle était typée. Espagnole, grecque ou colombienne. Venue du soleil mais sombre! Si encore il avait pu calmer cette folie de possession qui l'avait pris depuis son premier regard sur elle, mais il fallait bien se rendre à l'évidence. Sa rencontre avec Anna semblait n'avoir été qu'un vulgaire épisode. À la passion des corps avait succédé l'indifférence.

«Cette fille a le don de m'exacerber!» s'est-il écrié, quand, resté seul, il a éteint le poste et s'est versé le restant du café. Il connaît bien peu de choses d'elle. Un visage, un désir, et puis cet air de petit animal sauvage ou blessé. «Question de culture, lui a dit un jour un collègue. Nous autres, Européens, nous ne serons jamais pleinement heureux ici. C'est à cause de la Méditerranée! Nous la cherchons partout. Dans la moindre brise, dans les espaces illimités, sur les routes de campagne, dans l'odeur mouillée des tempêtes de neige!»

Peut-être! Mais surtout et avant tout, il lui faut affronter maintenant un cuisant sentiment d'échec. Quand il y repense, Simon s'aperçoit de son trop grand empressement auprès d'elle. À peine étaient-ils arrivés dans le studio qu'il l'avait enveloppée de ses bras, la retournant vers lui. N'ayant pas prévu sa réaction, elle l'avait repoussé aussitôt, criant presque: Non. Non,... pas comme ça!... Pas si vite! Il s'était reculé, mortifié. Pour une fille rencontrée dans un bistro qui vous dit, de but en blanc, que rien ne l'intéresse plus que la baise les nuits de grand froid, sa réaction l'avait surpris. Et puis,... et puis? Bon, il avait compris. C'est elle qui prendrait l'initiative.

Par contenance, il lui a servi un verre ou deux. Ils ont parlé de choses et d'autres, de décoration, de lignes, d'architecture, de jazz... Elle s'est allongée sur le sofa et a fermé les yeux pour mieux apprécier le son du saxophone. Il a pu l'observer à sa guise, tandis que s'est accrue violemment son envie d'elle. Il n'a pas bougé parce que l'amour, ou ce qu'on appelle ainsi, nécessite, il le sait, une lente stratégie.

C'est seulement lorsque la musique s'est arrêtée qu'elle s'est redressée. Elle a déposé son verre, lui a tendu la main. Alors Simon s'est agenouillé auprès d'elle très lentement.

Pliée en deux, le visage piqué de mille morsures que lui infligent les flocons, Anna bousculée par les turbulences des vents contraires, marche à reculons promenant, avec sa dégaine des mauvais jours, d'anciens souvenirs, de ceux qu'on croit classés, ensevelis et qui ne sont que laves redoutables d'un passé refoulé. Signe des temps, les gratte-ciel du boulevard René-Lévesque, érigés à la gloire de la finance semblent, dans ce ciel de fin du monde, d'inquiétants monstres noyés, épaves de paquebots aux flancs desquels les vents de poudrerie infligent de mortelles avaries.

Deux heures du matin. Montréal sort de sa léthargie de ville sage, rangée, honnête. L'*underground* fait surface. Drogue et crime organisé sortent de l'anonymat. De sinistres limousines noires, munies de vitres opaques, patinent péniblement. Elles sillonnent les rues, infligent la mort à leur gré, puis s'organisent pour défendre leurs acquis. Îlots de justice meurtrière, cités dans la cité.

Anna frissonne un peu, mais admet qu'elle se fout bien d'avoir peur ou pas. Le délire est sa porte d'accès au rêve comme le rêve à la réalité. Elle s'y glisse. C'est sa deuxième nature, le délire! C'est vrai depuis toujours. Avant le triomphe de la psychanalyse, se dit-elle. L'artiste n'a-t-il pas le pouvoir de dépoussiérer le réel des compromissions qui le masquent? Se saisir de lui, le rompre, le découper, le réduire en miettes et le décanter. Difficulté insurmontable parfois! Anna le sait, elle qui n'arrête pas de trier à la loupe le vrai du faux. Elle n'arrête plus. C'est une obsession.

Et cet homme, ce meurtrier, assis à la droite de l'animatrice. C'est toujours à droite qu'on les place. Un premier venu en qui une recherchiste a cru déceler une figure originale, cliché télégénique, au discours outrecuidant, capable de raconter une histoire qui sert de faire-valoir et qui, de toute façon, reste objet à consommer, à mettre sous la dent du spectateur avide et capricieux. Le culte de la vedette outrepasse la réhabilitation!

C'était un 4 novembre, comme aujourd'hui.

«Un jour, a-t-elle dit à Simon, je sculpterai une jeune femme assise tenant un luth comme un corps malade. Le visage serait aveugle...»

Alors, il a ironisé.

«Le luth tenu comme le corps du Christ. C'est une pietà, ton œuvre!»

Cela l'a vexée. Mais Simon n'est déjà plus qu'un nom, une chevelure dans le vent, un regard inquisiteur, un tempérament, une force. Autant dire presque rien. Pourtant un brusque changement de cap et tout pourrait basculer. Le presque rien dans le presque tout. Mais le bonheur tranquille qu'est le sien, se consumerait comme feu de paille.

Place Desjardins. Anna se hâte. La pluie verglacée cède devant des tourbillons de flocons et les portes de l'hiver polaire s'entrouvrent. Adepte de l'op art, elle invente un univers fantastique et croit voguer dans un fond marin. Élise. Des images de mort, de corps éventrés, de chair détruite la hantent. Désirs et droits confondus, tout est permis, lui semble-t-il. Même le pouvoir se corrompt joyeusement foudroyé par les relents du sexe et l'*asociété* de l'argent. La passion revue et corrigée selon la charte des droits!

Elle repense à Simon, à son départ. Une fuite? Une peur? Et de quoi? D'amours bâclées? C'est ce qu'elle vit pourtant en dehors de Maxime, ce qu'elle veut bien vivre. Car c'est avec ce dernier qu'elle veut rester.

Depuis toujours, depuis un siècle, une décennie.

Oui, se répète-t-elle, le bonheur n'est pas élan. C'est un voyage au long cours et ce n'est pas de bonheur qu'elle veut changer. Seulement se jeter à l'eau, le temps d'une plage convoitée, offrir son corps aux soleils exotiques, goûter aux lointains édens et vivre de plaisirs apaisés.

Il faisait ce même temps de chien lorsque Élise est morte, il y avait bientôt quinze ans. Tempête de neige, rues encroûtées de verglas, circulation figée, milliers de gens coincés sur les autoroutes, policiers au volant de motoneiges sillonnant les rues de la cité. Heure de pointe tragico-rocambolesque à jamais marquée dans les annales du trafic comme cette date du 4 novembre devenue record de froid précoce et référence météorologique incontournable.

Anna traverse un passé dévasté marqué par l'horreur et par le deuil. C'est un immense paysage sans fin, une mer de glace, avec un stop obligatoire, un arrêt rouge sang. Élise est debout sur une banquise. Elle glisse et disparaît au loin, sans cri, dans une réduction d'elle-même. Sa vie comme sa mort s'annulent sur la courbe du temps.

Alors que les bus patinent péniblement

dans l'avenue, elle entame la première partie de la rue Saint-Hubert, une côte insignifiante par beau temps, aujourd'hui insurmontable. Ce soir-là, lorsqu'elle rentre chez elle, Élise marche à ses côtés. Morte et vivante. Elles sont unies par des liens, un pont jeté entre elles où défilent leur enfance, leurs rêves, leurs joies, leurs angoisses. Elle ne s'aperçoit que plus tard que le répondeur clignote. C'est Maxime. Sa voix retransmise au-delà de sept cents kilomètres, à la vitesse de l'éclair! Il s'étonne de son absence. Il est au courant du mauvais temps.

Elle débranche la ligne téléphonique, elle n'appellera pas. Elle aimerait d'abord se retrouver. Ses souvenirs. Son centre, les mouvements contraires du désir. Mouvements indésirables? Comètes de passage? Elle ne sait. Quelle secrète coïncidence a poussé Maxime à l'appeler cette nuit même? Simon ne sera bientôt plus qu'un souvenir. Un point à l'horizon, une île quittée à la hâte pour éviter la tornade qui menace.

2

Installée à sa table de travail, Anna aligne des mots sans suite; des réminiscences surgissent brutalement. Un nom, Élise. Elle trace des lignes. Encore des mots. Meurtre. Viol. Noircit des pages. Fait naître des masques. Des esquisses. Un luth, des corps noués, dépliés, monstrueux.

Ce sont les éboueurs qui l'ont retrouvée, pliée en deux dans un sac de plastique déposé sur la neige parmi d'autres détritus. Le préposé, muni d'énormes gants de cuir, n'a pas compris tout de suite ce qu'il lançait sur la plate-forme du fourgon. C'est seulement au moment où celle-ci a basculé dans l'enfer charbonneux et puant qu'il a entendu vibrer le luth. Aussitôt le sac retiré (est-ce son oreille musicale? l'éboueur étant musicien), il l'a dénoué. Les cordes emmêlées dans les cheveux d'Élise ont maintenu un vibrato léger qui l'a cloué sur place. À la police qui l'a d'abord soupçonné, il a bredouillé, horrifié, qu'il ne savait pas si c'était la main de

Dieu ou du diable qui l'avait inspiré.

Le meurtre d'Élise n'avait pas eu l'heur de toucher les médias. Il était passé inaperçu. Les chaînes de télévision avaient d'un commun accord retenu un seul et unique fait: l'excès de désespoir du meurtrier. Après s'être livré, celui-ci avait, semble-t-il, éclaté en sanglots. De divers, le fait devint curieux voire merveilleux. Sur l'écran, on vit un policier donnant une conférence de presse. La séquence était courte avec plein feu sur le visage de l'interviewé, puis à la question off: «Comment expliquez-vous qu'il ait pleuré?», le policier, d'un ton ému, avait répondu: «C'est son côté humain, que voulez-vous?» Le couteau, le viol, la jeune fille furent occultés.

Par une ironie du sort inexplicable, le meurtrier fut magnifié, le meurtre gommé.

Sur le lecteur de cassettes, Anna a placé le quatuor de Schubert: *La jeune fille et la mort*. Elle s'est allongée sur le divan et a plongé dans un profond désarroi.

Élise entre dans sa vie et elle entre dans la mort d'Élise. Elle interroge cette mort. Que sait-elle au juste? Il lui en reste quelques faits divers découpés dans les quotidiens. Sans plus.

Au-dessus de sa table de travail, elle a placardé une émouvante esquisse. Une jeune fille grandeur nature assise, jouant d'un instrument. C'est un luth. Elle le porte dans ses bras.

Elle repense à ce cinéaste, Simon. Elle revoit son visage narquois. Et sa façon ironique de dire:

– C'est une pietà, ton œuvre?

Soudain, toutes les esquisses qui traînent un peu partout dans son atelier-studio lui paraissent maintenant dérisoires. De mauvais goût. Ce sont des études de femmes inspirées des tableaux de maîtres. Carpaccio, Giotto, Gentileschi. Des créatures gracieuses ou nonchalantes aux visages sereins. Il n'y a en elles aucune préoccupation existentielle.

Qu'a voulu dire le cinéaste? Pourquoi le luth dans la position du corps du Christ dans la pietà ferait-il de son œuvre une pièce anachronique?

Elle est en colère et se verse un quart de vodka sur du jus de fraise. Si les voyages éthyliques la sécurisent, elle n'en porte pas moins un regard ironique sur ses dessins. L'art n'est probablement qu'une foutaise, disait Rimbaud.

Alors dans un geste apparemment désespéré, elle rassemble ses dessins, les découpe en morceaux et les lance l'un après l'autre. Ils tombent de haut et se rassemblent autrement. Ils tombent et tombent des bras, des yeux, des épaules, des mains et des gestes éventrés.

C'est une pluie de malheurs sur le corps fragmenté d'Élise.

3

Depuis l'instant où il l'a vue descendre les marches, Simon n'arrête pas de penser à Anna. Il ne sait rien d'elle. Ni même comment l'atteindre. Seulement qu'elle est une habituée de ce bistro. Elle n'est pas exactement son type de femme et il ne comprend pas pourquoi le soin mis à l'oublier exige de lui plus d'efforts qu'après d'autres passages de femmes. Au bistro, ils ont parlé de banalités, de clochards, du froid, de pesticides et de la tendance des derniers films policiers.

C'est un très vieux bistro avec un juke-box datant des années soixante. Chromé et remis à neuf, il propose des tubes de l'époque et quelques rares nouveautés. Quand il est entré, Anna était de dos. Elle essayait d'y glisser des pièces. C'est la première image qu'il a d'elle. Une silhouette sombre aux longues jambes effilées. Après, il ne sait plus comment c'est arrivé. C'est une suite de hasards qui fait qu'on se met tout à coup à vivre sous le regard de l'autre. À vivre, à multiplier une série de gestes, à marquer des attitudes ou à dire des mots qui vous orientent l'un vers l'autre comme des tropismes. Le regard d'Anna est manifeste, pense-t-il. Elle est entière dans son regard et l'organise comme un engin doté d'une tête chercheuse.

À L'Entrevue, seul devant une bière, Simon attend Bernard, son collègue et ami. Hier soir, à leur sortie du travail, il lui a glissé un mot sur un scénario qui le tracasse et qu'il ne sait comment aborder. La responsabilité des médias étant un sujet délicat, Bernard l'a mis en garde:

– La critique va t'éreinter. Ici, ce n'est pas les États-Unis! Nous n'avons ni leur pouvoir ni leur rayonnement!

Mais Simon n'est pas près de renoncer. Il note sur son carnet:

S'étonner de ma propre réaction avec Anna. Pourquoi me suis-je rangé du côté de la vedette? Il y aurait donc dans l'attrait du vedettariat une part d'irrationnel? Pourquoi, d'ailleurs, avoir défini cet homme comme une vedette? N'était-ce pas plutôt parce que l'animatrice, par le choix qu'elle faisait de l'inviter, l'ennoblissait en quelque sorte du même coup?

Ne pas être dupe des médias!

«L'idée de derrière la tête» chère à Pascal. Idée de distanciation. Forme d'ironie. Comment juger de tout, confronter et prendre garde, analy-

ser les dessous, les mobiles secrets, les effets, les répercussions? Il faudrait pour ainsi dire se faire une conception cubiste de la réalité.

Tout le monde est dans l'illusion. L'illusion de participer, de faire de la politique, l'illusion d'être bien informé. Que peut d'intelligent la télé aujourd'hui?

Seuls les médias écrits se remettent en question. Ils offrent au public une page de libre opinion.

Mais le point de départ de la réflexion de Simon n'est pas la duperie des médias. Ce qu'il regarde, dans ce bistro, c'est un zoom dirigé sur Anna. La réaction violente d'Anna à l'émission et par-delà cette réaction, Anna, elle-même et le mystère dont il l'auréole.

Elle l'obsède. Son agressivité aussi:

– La télé tombe dans la morale décidément!

– La morale?

– Oui... Enfin, oui,... quoi!

– C'est-à-dire?

– Ce vieux beau, par exemple. Il a purgé sa peine. Et puis après?... Quel est le message?... Le pardon?

– La réhabilitation, ça compte... non?

– Je me fous bien de sa réhabilitation!

Les yeux d'Anna brillaient de colère.

– Et l'exemplarité?

– Tu plaisantes? Conforter Monsieur et

Madame Toulmonde! Belle exemplarité!

Mais une fois calmée, elle avait ajouté:

– Je n'ai rien contre l'encouragement, la réhabilitation, le pardon. Cela, c'est la partie noble de l'iceberg. L'autre, l'immergée, la plus sournoise, trempe dans les eaux troubles du sensationnalisme. Voilà la véritable motivation.

Simon surveille toujours l'entrée. Lui reviennent d'autres bribes de leur conversation. Il s'agissait de sculpture, de rêve plutôt et d'un meurtre gratuit. Il revoit la silhouette d'Anna. Sa promptitude à s'habiller; sa hâte de partir, sa disparition dans la nuit.

Il sent, il sait maintenant qu'une deuxième rencontre n'aura plus jamais lieu sous le signe de la légèreté.

4

Dans son studio, Anna joue avec la glaise. Elle construit des formes imprécises. Elle laisse ses doigts, ses paumes meubler l'espace selon l'inspiration du moment. Un réceptacle d'abord qui pourrait être un corps ou un instrument, un luth ou même, à la rigueur, un visage. Rien de précis pour l'instant. Seulement un espace à modeler, à découper, à arrondir, à apprivoiser pendant que par fragments, le passé ressurgit. Élise, le meurtrier, les faits rapportés.

Quand elle était sortie du cours d'*Intervention urbaine*, ce matin même, elle avait paru désemparée. Une œuvre révélatrice et forte serait celle qui expurgerait les angoisses issues du fond des êtres. Certains étudiants avaient paru mécontents ou déroutés.

– Exprimer le non-dit d'un lieu et créer une œuvre qui ait un rapport avec ceux qui y vivent! Oui, mais ce n'est pas si facile.

– Le «non-dit d'un lieu», mais ça, c'est un concept européen!

– Exact, les lieux ont une mémoire là-bas.

Mais ici, avec tous les déménagements annuels, la mémoire fout le camp!

– Il faut se promener dans les vieux quartiers de préférence. Là où se trouve l'âme d'un peuple, son histoire.

– Ressusciter des morts?... Ah! non. Quel boulot!

C'est vrai que déterrer des souvenirs en rapport avec les lieux n'était pas facile. Pourtant son idée s'affirme. C'est d'abord à Élise qu'elle pense et ce sera un travail de longue haleine. Creuser d'anciennes angoisses, aller aux sources, écouter les témoignages, suivre des pistes, rassembler les données, sélectionner, reconstituer, sous les détails, la matière brute qu'elle devra évider, creuser lentement, couler dans le moule de la mémoire pour en sortir une forme signifiante, en souligner les inflexions, y inscrire le pathétique, lui insuffler la vie, la saisir dans sa singularité. Celle d'Élise et la sienne.

C'est l'absurdité des faits qui la tracasse; les sanglots du meurtrier et l'amplification médiatique, le vol des émotions, leur détournement. Du jour au lendemain, se développa dans les médias une sorte de fétichisme des prisonniers. C'était la course à leurs états d'âme, à leurs sentiments, l'accès à l'étalage de leurs techniques, à leur enfance, à leurs malheurs. Leur ego flatté les consacrait héros d'un jour et leurs sourires témoignaient de leur reconnaissance à occuper un centre qu'ils rêvaient en secret d'investir.

Anna pense que la société tombe dans un hybridisme notoire comme dans les messages tabagiques. Délectation et réprobation, incitation et mise en garde, l'irrationnel tuant le rationnel ou vice versa.

C'est monstrueux! se dit-elle en regardant la forme née de ses doigts.

Le tranchant de l'œil, la rigueur du geste ou celle du mot, le ciseau qui coupe ou la phrase qui cerne sont autant instruments de vie que de mort. Le matériau fait toute la différence. Béton, marbre, bronze, papier ou corps humain. Solidité ou fragilité. Donner corps ou dérober le corps. Création ou destruction. Reconstruire l'autre relève du travail de l'art.

Bien des années après, Anna fixe seulement une image d'Élise. C'est l'automne. Elles marchent toutes les deux dans le froid et les vents contrariés. Anna cherche un signe dans son regard, l'imminence de l'abîme vers lequel elle va bientôt se diriger, sa chute avant le point du jour. Elle ne voit rien. La mémoire des mots de cet instant précis est une mémoire morte. Pourquoi Anna conserve-t-elle seulement deux ou trois choses?

L'image, la forme des corps, la couleur des vêtements, l'ondulation des longs cheveux blonds, l'expression joyeuse de la scène. Quelques instants après, Élise se détache du groupe et se dirige vers son destin. Personne n'aura compris que la mort en sentinelle a déjà mis ses pas dans les siens.

Cette image s'évanouit. D'autres surgissent. Des projets de musique, des pièces pour luth qu'Élise composait. Sa fascination pour Mozart. Élise dans sa chambre, assise, son luth dans les bras, l'accordant pendant qu'elles parlaient. Anna ressort de vieilles photographies, les aligne, les parcourt rapidement comme si chaque image était l'infime fragment d'un tout qu'elle veut recréer. Cette façon de faire lui permet de se représenter les personnages en mouvement. C'est un film d'animation qui se joue devant elle. Mais les sourires figés, les couleurs trop vives ternissent le souvenir. La réalité pour elle se joue dans la grisaille où noir et blanc se conjuguent aux tons flous de la mémoire.

C'est à la dernière séquence qu'elle revient. Le dernier adieu. Sans adieu. Élise, sa chevelure frisée soulevée par le vent, ses larmes provoquées par le froid, ses derniers mots perdus.

L'habitude de projeter les autres dans la trame de leur vie ne nous facilite pas l'accès à leur mort. Et c'est tant mieux peut-être;

une façon comme une autre d'atteindre à l'immortalité!

Mais l'essentiel d'Élise est aussi dans sa mort. Les rapports que le public de l'époque a entretenus avec cette mort. Le comment... Réalité disparue, saison qui s'estompe devant l'autre.

Reconstituer la dernière journée, décoder les gestes, les intentions, oui, c'est exactement cela qu'elle désire faire même si elle ne mesure absolument pas toute la difficulté de la démarche, même si elle hésite entre figuratif et non-figuratif, même si à une scène de bas-relief vient succéder une forme unique, épurée contenant tous les désirs, tous les dynamismes et leurs contraires.

Une jeune fille était morte dans d'atroces conditions et elle voulait l'arracher de la gangue où l'avaient enfermée des années d'oubli et d'indifférence obstinés. Il lui appartenait, sans plus tarder, de voir à l'interrogation que lui posait ce monument en ruine de son enfance, s'il est vrai que toute sépulture pose une question et que celle-ci gardait pour elle un caractère matriciel d'où sortirait, sous la violence et la folie, ce qu'elle cherchait passionnément.

5

Chaque fois que Maxime vient à Montréal, il passe chercher Anna à la galerie d'art où elle travaille et où lui-même expose ses œuvres. C'est l'un des meilleurs sculpteurs contemporains. Cette fois, il ne l'a pas prévenue. Elle est surprise et heureuse de le revoir. Ils ne s'étaient pas revus depuis trois mois, depuis la dernière intervention chirurgicale de Maxime dont il était sorti diminué, une portion d'intestin en moins.

– Tu n'as pas dit.

– Dire quoi?

– Que tu viendrais.

– J'ai des projets, il faut que je t'en parle.

Assis au bar du Ritz, il la regarde de ses yeux bleus d'autrefois, entre tendresse et désir. Sa moustache grisonne un peu plus. Anna, elle, le trouve toujours séduisant. Il a de larges épaules puissantes qui la fascinent. Elle regarde ses mains ouvrir le paquet de tabac, bourrer la pipe, prendre une allumette, la faire flamber. Ce sont les mêmes gestes précis, lents avec lesquels il sculpte, manipule, saisit un outil; les mêmes gestes mesurés presque graves qu'il a pour l'attirer à lui, l'étreindre. Maintenant qu'ils sont seuls, ils parlent d'eux. De Baie-Saint-Paul. Des distances qui les séparent. De ce désir de la revoir qui ne le quitte pas. Mais elle, voudrait-elle recommencer? Pendant qu'il parle, Anna n'écoute pas. Elle entend des bruits, des petits riens de leur vie d'autrefois, des petits bonheurs, des discussions, des malentendus, des blessures à vif, de celles qu'on met du temps à soigner parce que la racine du mal est trop profonde. Périodes roses et noires. Attentes, échecs. Revirements douteux. Retour des ressentiments. Elle entend encore d'éternels regrets, suivis d'éternels recommencements comme ce ressac qui monte de la baie, de la mer, égal à lui-même, respiration des nuits d'angoisse.

Elle dit qu'elle ne sait pas.

– Réinventer une vie à deux, pourquoi pas? dit-il.

Elle n'est pas préparée à la situation. Elle ne sait vraiment pas, préfère en reparler plus tard. Maxime a l'air déçu même s'il semble conciliant.

Anna relance autrement la conversation sur les cours à l'école des Beaux-Arts. Sur «l'intervention urbaine», thème du travail qu'elle doit présenter. Il l'interrompt:

– Au fait, pourquoi as-tu choisi la sculpture?

Quelle question absurde, se dit Anna.

– Peut-on «choisir» comme tu dis une forme d'art? Est-ce qu'on choisit réellement?

– La sculpture, ce n'est pas plutôt un univers masculin?

– Et la passion, tu crois qu'elle se vit seulement au masculin?

– Mais la force physique nécessaire à cette pratique ne t'a jamais rebutée? Car enfin, tu dessines magistralement; alors pourquoi pas la peinture ou le vitrail?

Elle pense à Camille Claudel, aux préjugés de son temps et se dit que la question de Maxime est anachronique.

– La sculpture est l'art le plus audacieux par le relief. Toute ma force est dans mes poignets et puis... et puis... C'est une question d'atavisme pour moi peut-être. Tu oublies aussi que les techniques modernes sont de toute façon très nombreuses et ne font pas toujours appel à la force. Mais, à vrai dire, je préfère quand même les matériaux traditionnels: le marbre, la pierre, le bronze, l'argile.

Autrefois à Baie-Saint-Paul, lorsqu'elle habitait avec lui, il était persuadé que c'était lui qui l'entraînait dans son sillage, qu'elle optait pour la sculpture, non par choix délibéré, mais par passion pour lui.

Il semble légèrement irrité. Autour d'eux, le bar s'est vidé. Eux aussi vont partir. Ils feront leur promenade favorite, admirant vitraux, murales et architecture, à quelques mètres sous terre, dans le métro de Montréal.

Dans le métro, ils se tiennent par la taille, admirent et s'admirent, commentent et s'embrassent.

– Tu aimes encore un peu les vieux cons comme moi?

– Oui, quand ils sont cons comme toi.

– Y en a-t-il beaucoup de vieux cons comme moi?

– Han... Mettons un ou deux par siècle.

– Ah! Bon... Et quel âge as-tu?

– Un siècle à peu près.

Mais même si Maxime va déployer toute sa batterie de séduction, même s'ils partagent les mêmes affinités, même s'ils feront l'amour très tendrement cette nuit-là, il y a déjà un abîme qui les sépare. Ils s'en doutent bien l'un et l'autre, mais sans se consulter, ils ont fait le même choix de vivre au temps présent le désir d'autrefois. La nuit, chez Anna, aucune question existentielle ne vient contrarier leur plaisir des sens.

6

«Chaque bistro est témoin de deux ou trois histoires sordides, dit Eduardo Lopez, le patron de L'Entrevue. Comment?... Si je la connais? La jeune femme avec qui vous êtes sorti l'autre nuit? Oui, bien sûr... Attendez que je vous raconte. Encore jeune étudiante, elle venait vendre des roses aux clients du bistro. Certains clients empressés lui offraient un verre. Les clients sont des trafiquants d'illusions. Quand ils sont seuls, ils viennent noyer leurs soucis et draguer. Ils offrent des rêves aux jeunes filles. Seulement des rêves. Au fond, si vous voulez que je vous dise, rien ne change jamais. Du temps où le bistro était taverne et que les femmes n'étaient pas admises, c'était, ma foi, la même chose! Un champ de négociations entre hommes et femmes. Et bruyant! Même si celles-ci n'étaient pas présentes. Et que voyez-vous d'autre dans un bistro? On tourne toujours autour du même pot. Les couples se font et se défont sous nos yeux. On se croirait sur une scène de théâtre.

Vous voulez mon avis? Bistro ou taverne, c'est le sexe qui mène et le sexe frustré engendre la violence.

Un soir, ajoute-t-il, un client s'est emparé des fleurs qu'elle tenait, comme ça,... sauvagement, pour rien, puis il les a jetées et piétinées... Tout de même, on la revoit ici encore périodiquement. Tenez, hier matin, elle est revenue. Elle était en compagnie d'un homme. Ils m'ont posé des questions sur une affaire sordide d'autrefois. L'affaire Belval. Une histoire de meurtre. De meurtre et de viol! Une jeune fille de quinze ou seize ans! Son amie d'enfance. Oublier l'épisode?... Impossible! Belval sortait de chez moi. C'était un 4 novembre; et pour moi, une date charnière. Hé! oui, nous fêtions! Imaginez un peu. Nous fêtions la conversion de la taverne en bistro!»

On ne sait pas pourquoi, mais c'est par la porte arrière que Belval était sorti de la taverne dans la nuit du 4 au 5 novembre. Ce n'était pas habituel. Il fut donc obligé d'emprunter, par le stationnement, le long couloir de la porte cochère.

Pas indécis? Verglas accumulé sous la neige? Toujours est-il qu'il glissa et s'étala de tout son long empêchant toute voiture de sortir du stationnement. Il avait dû demeurer là une bonne heure, endormi, le visage enfoui dans un vomi impressionnant.

«Pas très étonnant, ajoute Eduardo Lopez. Quand on pense à tout ce qu'il avait ingurgité! Un litre de moules marinière, un maxi steak-frites et des cailles sauce Cordoba. Tout le contenu de la table d'hôte! Ajoutez à cela le dessert et au moins quatre litres de bière. Il fallut cinq ou six hommes des plus costauds pour le relever.

J'aurais dû appeler une ambulance, convient-il, mais c'était une force de la nature; et aussitôt qu'il a repris connaissance, on l'a laissé partir. Aux dires de deux autres clients de la taverne qui le suivirent, cette nuit-là, même si la tempête faisait rage, l'individu marchait d'un pas ferme quoique lourd. Il s'est arrêté peu avant de rentrer chez lui, à l'abri d'une marquise, s'est roulé un joint, puis s'arrêtant de temps en temps pour en tirer une bouffée, il a bifurqué sur la rue du Moulin avant de s'arrêter au 325.»

Simon commande un Martini sec. Le mystère Anna persiste pour lui. Au fond, il n'a aucun droit de regard sur sa vie, mais cela ne l'empêche pas, avec quelques éléments disparates, de monter un scénario.

Dans l'ordre où il les connaît, il les note dans son carnet:

Un meurtre.

Une sculpture.

La jeune fille au luth.
Médias: une erreur d'aiguillage.
Une taverne.
Un ivrogne.
Une histoire de meurtre qui remonte à une quinzaine d'années.

Il construit là-dessus ses personnages et les contemple; La jeune fille au luth, blonde, enjouée. Le milieu social serait aisé, se dit-il. Peut-on jouer du luth dans un quartier défavorisé? Une étrangère, Marina. Sa sœur? D'où viendrait-elle? De Grèce peut-être.

À partir du regard d'Anna en gros plan, Simon effectue un travelling arrière. La caméra découvre un bistro moderne. Au-dessus du bar, trône une imposante photographie de Lollobrigida. Flou sur la photo. Le récit bascule dans le passé.

Carnet de Simon:

La Taverne à Lollo n'a rien des tavernes obscures, closes sur le monde extérieur comme les pubs britanniques dont elles sont la copie. La situer au rez-de chaussée d'une maison cossue du début du siècle. Sa porte flanquée de deux baies vitrées serait surmontée d'un intéressant oriel sans colonnes.

Eduardo Lopez s'y installe dans les années soixante-dix et lui donne une touche méditerranéenne. Au-dessus du bar, l'imposante photo-

graphie de la Lollo, fétiche du propriétaire, attire la clientèle. Çà et là, Lopez a placé des objets de son Argentine natale dont quelques très beaux spécimens de bandonéons. Un imposant juke-box ultra-chromé, placé à l'arrière de l'établissement, avec les tubes de l'époque, offre aux clients deux ou trois milongas ainsi qu'une magistrale version des tangos Cumparsita et Jalousie, à l'époque encore peu connus du public montréalais. Il n'est pas rare de voir quelques habitués argentins de la taverne se lever et esquisser ensemble les pas saccadés du tango.

L'été, quand il fait beau, la porte demeure ouverte et deux ou trois tables sont offertes, à l'extérieur aux clients.

(Elles attiraient surtout le public féminin, a dit Lopez. Mais... il fallait leur expliquer... C'est une véritable chasse gardée, exclusive aux hommes.)

La clientèle d'Eduardo Lopez est constituée d'habitués, en majorité de gens du quartier. Certains y viennent pour passer un bon moment, d'autres pour oublier les vicissitudes de leur vie conjugale ou leurs déboires amoureux. Parfois, certains épanchements du cœur deviennent à ce point violents qu'il faut, plus d'une fois, faire une mise en garde musclée. Bref, des soucis communs ne sont pas sans créer des liens de solidarité entre eux. Aussi tous se connaissent-ils.

La grande préoccupation de cette nuit du 4 novembre est, outre la fête qui met un terme à l'avenir masculin de la taverne, la première chute de neige qu'une météo incertaine n'avait pas prévue.

La jeune fille au luth: la nommer Chloé.

Lorsque Simon revient à la réalité, il y a au bar une femme seule qui tient un livre. Ce n'est pas Anna. Elle n'a pas ses longues jambes, ni son profil tranché au couteau. Mais sans hésitation, il abandonne son scénario. S'il n'y avait eu cette histoire, ce récit d'un meurtre qui alimente son imagination, y aurait-il eu réellement un mystère Anna?

Je vais en faire une maladie! se dit-il.

C'est peut-être pour cette raison que Simon se lève et prend place sur un tabouret du bar, à côté de la jeune femme. Ils lient conversation. Elle parle du livre qu'elle vient de fermer, façon comme une autre de meubler la conversation.

Pourquoi doit-on absolument meubler la conversation? se demande Simon. Elle boit, je bois. Nous nous plaisons avec évidence. Nous sommes tous les deux seuls. Nous coucherons ensemble probablement. Au préalable je l'embrasserais, frôlerais ses cheveux roux et nos caresses se feraient plus intimes.

Pour Simon, la vie est un vaste champ sexué. Il faut récolter lorsqu'il est encore temps.

7

De son unique rencontre avec Anna, Simon garde le souvenir d'avoir dénigré, en son for intérieur, son idée à elle de restauration du passé. Il se souvient d'un voyage au Portugal et d'une petite chapelle, la Capela dos ossos où chaque mur, chaque colonne était constitué d'innombrables os humains. Il se rappelle sa consternation devant cet ossuaire érigé en chapelle. Vaste champ de la mémoire jonché d'ossements anonymes!

Dans le récit qui le préoccupe, Simon est frappé par la fascination qu'exerce le meurtrier sur l'opinion. Au risque de se perdre dans une histoire dont il connaît mal les tenants et les aboutissants, il a cherché à en savoir plus. Enquêter pour élever une voix au-dessus de l'ossuaire et des cendres.

Des explorations faites dans la rue du Moulin lui ont permis de noter quelques éléments architecturaux.

Carnet de Simon:

Obligation balzacienne d'établir un rapport

entre milieu et héros: réalisme.

Maison de Chloé. Observation et renseignements.

Maison de style Second Empire construite en 1870. Coiffée d'un toit en fausse mansarde revêtu d'ardoise. Façade de pierres grises extraites des carrières du plateau Mont-Royal. Grandes fenêtres rectangulaires surmontées de cartouches.

Historique et évolution.

Un important incendie ayant ravagé en 1880 l'ensemble de tous les bâtiments d'un complexe hôtelier, le propriétaire, un aubergiste italien, en devint presque fou. Seuls furent épargnés un vieux moulin et sa résidence principale.

À la fin de la Première Guerre mondiale, un amputé de guerre qui venait de mettre en vente sa fabrique de meubles, chercha à l'acquérir et à l'exploiter.

Depuis, des maisons érigées en duplex, donnent à la rue son aspect bourgeois.

Du décor somptueux d'autrefois, la maison a conservé, sur la façade, quelques guirlandes tandis que l'intérieur fut profondément modifié à la suite d'importantes rénovations. (Autres détails pris dans les archives.)

L'intérieur des appartements, rehaussé de remarquables ornementations: moulures de plâtre et de bois brun, cheminées de marbre blanc, murs lambrissés de bois d'acajou, a attiré la protection du comité culturel de la préservation du patrimoine.

C'est ici que vit Chloé.

Remarques et réflexions:

Placer ce lieu de blessures dans un décor extravagant, incongru, pour créer l'insolite et placer le spectateur en situation de confusion. Symbolisation de la singularité de chaque viol qui, même placé dans la rubrique «Faits divers», n'en reste pas moins un crime.

Chloé pourrait être cette jeune femme enfermée dans l'ascenseur d'un gratte-ciel (fait divers du 30 novembre 1994). Violentée, sodomisée, découverte sans vie, un lundi matin, alors que des techniciens, appelés d'urgence avant l'arrivée des premiers fonctionnaires, font la macabre découverte.

Ou bien la jeune fille pourrait se trouver dans sa salle de bains, seule, dévêtue, à genoux devant sa baignoire, en train de laver sa longue chevelure. Prise au dépourvu par le meurtrier, proie facile, elle meurt la tête enfoncée dans l'eau (fait divers du 6 décembre 1995).

Il y aurait deux niveaux d'écriture? Peut-être. On entendrait en voix off le narrateur raconter l'histoire de Chloé et de sa sœur Marina, par exemple.

La mémoire est un filtre. Se garder de laisser l'essentiel nous échapper. Provoquer le spectateur. Laisser planer le mystère sur le narrateur jusqu'à la fin...

8

Devant deux tasses de thé à la cardamome, Anna et Ali Radouane ont évoqué les talents de musicienne d'Élise, les concours qu'elle avait réussis, ses brillants débuts dans un quatuor d'instruments anciens.

– Une carrière qui s'annonçait, somme toute, bien remplie, a-t-il dit de son accent anglais.

Anna ne se lasse pas de l'écouter évoquer Élise, sa vie, ses habitudes, ses préférences. C'est un homme serein au visage typé, bien bâti. Ses paupières bistrées et une importante pilosité assombrissent le visage qu'illumine pourtant souvent un sourire généreux. Mathilda St-Martin, la mère d'Élise, l'avait connu à Kaboul. Elle avait d'emblée épousé l'homme et sa culture, arborait fréquemment le *tchador* et avait pris à Montréal la tête d'un important mouvement de défense des femmes voilées, le RFV.

– Que pensait Élise du voile islamique? a demandé Anna.

Ali Radouane a hoché la tête et entrepris d'expliquer à ce sujet les divergences entre la mère et la fille.

– Le *tchador* est lié à un pouvoir politique: la tyrannie. Et celle-ci n'a rien à voir avec la dictature des pays islamiques. Les femmes qui arborent le *tchadri* par habitude ou par obligation diffèrent de celles qui l'adoptent délibérément. Celles-ci désirent mortifier leur corps ou choisissent de se soumettre à la volonté de leur époux. C'est une imposture de prétendre le contraire. Mathilda, elle, le faisait par exotisme et aussi par compassion. Quant à Élise, dit-il plus bas, elle se moquait... des divagations maternelles.

Après le malheur qui les avait frappés, ils avaient strictement observé, pour ainsi dire, une attitude de survie, se cloîtrant chez eux, pansant leurs plaies, doutant d'eux-mêmes et de tout, évitant journalistes et médias. Puis Mathilda avait sombré dans un désespoir sans nom. Dès l'instant où Élise inconsciente, emmitouflée de couvertures et couchée sur la civière eut expiré aux côtés de sa mère dans l'ambulance, celle-ci entra dans un profond mutisme.

Elle ne s'en releva jamais malgré de longs soins psychiatriques.

– Elle mit autant de volonté à mourir qu'elle avait eu d'acharnement à vivre.

Ali Radouane ne voulut pas s'étendre sur

les événements qui marquèrent leur vie. Il reconnaissait qu'une série d'impondérables avaient provoqué le drame, mais il ne voyait pas la nécessité d'en pousser très loin l'analyse:

– Quand un raz-de-marée emporte votre demeure, est-ce que c'est important d'en savoir plus sur la grosseur de la vague, la vitesse du vent ou l'origine du séisme?

Ce jour-là, Élise fut tout d'abord portée disparue.

9

«Comment vous expliquer, lui a dit Marguerite Bonin dans le cabinet où elle a reçu Anna, c'est un enchevêtrement de menus faits qui ont permis de faire le lien entre elle et son meurtrier. Celui-ci ne s'est jamais dénoncé avant la découverte du corps. On l'a bien arrêté en ce matin du 5 novembre, mais pour une tout autre raison. Son arrestation est un véritable malentendu.»

Aline, la femme de cet homme, rentre de l'aéroport après une nuit blanche passée dans sa voiture, prisonnière d'une tempête de neige sans précédent. Ce qu'elle voit l'affole. Un appartement sens dessus dessous, deux enfants sans surveillance, un mari ventre à terre, inerte, un couteau auprès de lui. Elle le croit alors mort. Sur les lieux, les policiers découvrent un ou deux sachets de poudre et entreprennent de réveiller Belval. Sa femme a rapporté la scène suivante. Le mari, une force de la nature, les deux gardes du corps cramponnés à lui et personne qui ne s'aperçoit du grotesque de la situation: une braguette restée ouverte, un pénis en érection, sorte de diable à ressort, cramoisi. L'homme s'y est repris deux fois plutôt qu'une avant de l'engloutir douloureusement dans l'entrejambe d'un slip renforcé. Puis ses grognements se sont perfectionnés pour laisser échapper un flot d'injures virulentes, ponctué de quelques crachats à l'intention des policiers.

Quinze ans plus tard, Marguerite Bonin a évoqué pour elle cette scène burlesque. Qu'elle est loin l'image du meurtrier digne dont ont parlé, à tour de rôle, les médias!

Tout est dans le pénis, pense Anna. Puissance et débilité; triomphe et servilité. Le viol serait-il érotisé par les hommes si l'on soulignait avec autant de vigueur l'un et l'autre des deux aspects? Ses limites comme son pouvoir?

«Apparemment, un couple sans histoires! reprit Marguerite. Une femme agréable, deux enfants épanouis. Rien d'inquiétant vraiment. Jusqu'au drame.»

Or, Élise fut d'abord portée disparue. Dans le branle-bas de l'arrestation, on oublia qu'elle avait assuré, la veille, la garde des enfants Belval. Mathilda était revenue, elle-même épuisée après une nuit passée devant les bureaux de la Commission des droits de la personne. C'est là qu'elle avait organisé un sit-in en faveur des femmes voilées. À midi seulement, l'alerte fut donnée.

Jetée vulgairement dans un sac poubelle, Élise n'avait pratiquement aucune chance d'être découverte, sinon par le camion à benne. Or, d'importants congères que le passage de la déneigeuse avait accumulés rendaient l'accès difficile.

– Et la veille? Où se trouvait Élise, la veille, avant d'aller garder les enfants?

Marguerite Bonin, assise derrière son bureau, n'a pas répondu tout de suite à la question.

– Cette mort, c'est presque... C'est incroyable! Elle aurait pu être évitée. Si ce n'est une série de circonstances..., a-t-elle ajouté en faisant un geste vague. Sa mère a endossé toute la responsabilité... à tort peut-être. La veille, Élise joua du luth pour ses voisins.

Au rez-de-chaussée du duplex voisin, un couple fêtait, cette nuit-là, un quarante-cinquième anniversaire de mariage. L'appartement qu'ils occupaient avait fini par ressembler au magasin d'antiquités que l'homme possédait. Des objets héréroclites, des statues de bronze, des dessertes de valeur, des tables en bois précieux, d'énormes bergères en satin vert et or se partageaient l'espace du vaste salon où ils évoluaient, recouverts tous deux de la même patine du temps.

Or, Élise avait, ce soir-là, offert aux convives quelques intermèdes musicaux.

Anna essaye d'évoquer le tableau et se demande comment la petite voix intimiste du luth avait pu s'élever dans l'atmosphère bruyante de ce festin. Car, s'il fallait en croire Marguerite Bonin, une cinquantaine d'invités s'y tenaient et la réception grandiose avait nécessité la location d'un service de traiteurs, une dizaine de pièces montées et, même pour les véhicules en stationnement, un service d'ordre dirigé par un ami.

Incontestablement, Élise en fut la vedette. Son charme, sa jeunesse, la maîtrise de son instrument, son costume d'époque, la musique baroque constituèrent une sorte de séduction pour les profanes qui l'écoutèrent avec un silence religieux.

– Il y avait dans cette fête, et grâce à elle, quelque chose de l'esprit des salons ou des manoirs d'autrefois. Malheureusement, renchérit Marguerite Bonin, une note discordante vint mettre fin aux réjouissances puisque, pour une raison d'ordre climatique, le départ en Floride du couple Corbin fut avancé de trois heures.

Aline Belval s'offrit à les accompagner.

10

Anna, qui se méfie du sensationnalisme pratiqué par le monde des médias, a confié à Martine, une amie reporter, la délicate mission de rechercher dans les archives de la radio l'entrevue accordée au policier témoin de la confession de Belval.

– J'ai retrouvé un journaliste de l'époque, lui dit Martine. C'est un type très bien. Pierre-Marc couvrait alors les faits divers. Maintenant, il est grand reporter en Russie. Tu as vraiment de la chance, il repart demain. Il se souvient très bien de l'affaire Belval. Suis-moi, il nous attend.

Dans la jeune cinquantaine, Pierre-Marc Voyer, au resto du 22e étage, les attend, plongé dans un livre.

Anna le trouve sympathique et ouvert.

Enfermés tous les trois dans une cabine de projection, ils regardent le document d'archives que Voyer a retrouvé. Il s'agit d'une conférence de presse où un policier relate des faits aux journalistes: une jeune fille de seize ans, Élise St-Martin, découverte dans un sac poubelle par un éboueur meurt très peu de temps après dans une ambulance; Réal Belval, le présumé meurtrier, avoue son crime avec force sanglots; la jeune fille était la gardienne de ses propres enfants.

Le discours du policier plutôt bref et sans recherche, doublé d'une certaine aménité, d'un sens du devoir et des conventions sociales, témoigne de beaucoup de patience jusqu'au moment toutefois où, au cours des dernières questions, sa tension semble monter d'un cran. Il a vraisemblablement hâte d'en finir.

– Y a-t-il un rapport entre ce drame et les deux derniers enlèvements suivis de viol et de meurtre?

– Il est trop tôt pour se prononcer.

– Pouvez-vous préciser l'heure du crime?

– Entre deux heures et trois heures du matin.

– Réal Belval possède un casier judiciaire. Pouvez-vous préciser?

– Il y a six ans environ, il a été incarcéré pour viol.

– Comment expliquez-vous qu'il ait pleuré?

Le policier semble agacé par la question; il met du temps avant de répondre, regarde les journalistes, hausse les épaules puis répond:

– Je n'explique rien... (Geste vague de la

main.) C'est son côté humain, que voulez-vous!

À la fin de la séquence, Martine et elle se regardent: le message qu'elles viennent d'entendre n'est pas tout à fait celui de la version officielle. Dans la version officielle, celle diffusée sur les ondes, presque tout le dialogue a disparu, l'hésitation du policier a été également supprimée. Par contre, sur la bande originale qu'ils viennent de visionner, il s'agit avant tout du meurtre d'Élise alors que, sur la bande manipulée, il y a un parti pris évident pour l'image du meurtrier. Le crime commis est devenu un incident aléatoire! Voyer regarde Anna. Il torture sa moustache par contenance.

– Attendez que je vous explique, s'empresse-t-il de dire. Vous savez ce qu'est l'information capsule? C'est la brièveté par excellence!... 90 secondes pour les téléjournaux; 60 pour les bulletins de nouvelles radio. Mais on ne met pas n'importe quoi en capsule. Dans le cas de l'affaire Belval, j'admets,... oui,... c'était une bavure. Quand nous couvrons une conférence de presse, nous savons souvent exactement quoi choisir dans le discours avant que celui-ci ne soit même prononcé. Ça dépend des priorités. Parfois, parmi les faits les plus signifiants, c'est l'élément le plus incongru possible qu'on tire,... pour frapper. Faire vivre l'événement, c'est capital, vous comprenez?

Anna, perplexe, hésite avant de prendre la parole. Elle semble vouloir peser ses mots.

– Je ne sais quoi dire! Naïveté, candeur, malhonnêteté? Peut-être maladresse? Une fois sortie du contexte, la petite phrase: «C'est son côté humain, que voulez-vous!» n'a plus le même sens! Le haussement d'épaules disparu de l'écran lui donne une tout autre signification! Ce policier-là, souligne-t-elle, n'est pas du tout ému comme dans la version officielle. Il semble même en colère!

– Oui, reconnaît Voyer. Je suis tout à fait d'accord avec vous! Mais y pouvons-nous quelque chose?

– Le fait qu'il y ait eu récidive a disparu également!

– C'est un extrait du discours, après tout! renchérit-il. Quant aux interprétations, en sommes-nous responsables? Et puis,... et puis,... c'est surtout un fait divers sur lequel il n'y a plus lieu de revenir.

Quelle déraison! Comment lui dire dans le blanc des yeux que tout cela est tordu, qu'il souffre de complaisance aiguë, que les petits trucages, leurs demi-vérités sapent de plus en plus la crédibilité de ce média!

– Après tout, dira plus tard ironiquement Anna, il n'y a pas de loi qui sanctionne les demi-vérités. Et qui pouvait prévoir que l'importance donnée aux sanglots comme à tout autre toussotement ou tic du meurtrier le mettrait ainsi sur la sellette?

– Le problème, ajoute Martine, c'est que ce qui se dit dans les médias est pris pour de l'argent comptant. Et rectifier des erreurs n'est pas le propre de la presse électronique. Qu'est-ce que tu veux...*Time is money*. Tout est compartimenté, minuté, programmé si bien que si les émissions passent, l'erreur, elle, demeure.

Florissante pollution par les ondes, les images biaisées, approximatives, censurées deviennent, au gré des manipulateurs, insoutenables ou débiles, obsédantes ou insignifiantes. Qui en voit les avatars, ces métastases invisibles qui manipulent sans bruit nos gènes virtuels?

– Le crime paye encore, lui dira Maxime un peu plus tard. Quant au «traitement de la nouvelle», on devrait remplacer l'expression par tripatouillage des faits. L'objectivité des médias, mon œil!

11

Le policier qui avait au préalable, par son haussement d'épaules, signifié son désaccord avec la question semblait, tout au moins sur l'image en gros plan, un être débonnaire et émotif que la moindre manifestation physiologique remuait. L'expression *Que voulez-vous?* était aussi trompeuse que l'image.

Anna fait un arrêt sur l'image vidéo et regarde Maxime. Une lumière orangée de début d'après-midi éclaire le studio. Dehors, de l'autre côté de la fenêtre, tout semble immuable. Le temps, la ville, les arbres nus, l'hiver. Maxime est en train de lire un livre sur la loi des marchés.

– Tu comprends, dit-elle en pointant du doigt l'écran, le gros plan n'est pas innocent. Ici, il met en vedette le policier, or celui-ci semble s'identifier au meurtrier, tu ne trouves pas?

Maxime lève les yeux sur elle. Lui aussi, sa lecture l'a mis en rogne. Aussi sa réplique rejoint-elle les préoccupations d'Anna.

– Y a-t-il encore une place publique où crier son désarroi et sa colère? La démocratie fout le camp, le politique devient désuet! Puis essayez de vous exprimer là-dessus, on vous marginalisera. Au mieux, on vous écoutera d'un œil soupçonneux.

Elle hausse les épaules pour marquer son indifférence. Puis reprenant son analyse, elle ajoute:

– Malheureusement, la victime ou plutôt le discours sur la victime est absent de cet extrait. C'est le prédateur qui occupe le premier plan même s'il n'est pas là lui-même. C'est lui qui bénéficie des feux de la rampe! Est-ce que tu te rends compte combien c'est injuste, l'exclusion de la victime?

Anna regarde le gros plan figé sur l'écran. Elle semble désaxée. Ce qu'elle voit au-delà de ce policier inoffensif et manipulé, c'est l'art de faire dire ce qui n'est pas et de taire ce qui est. L'art d'accorder une importance à ce qui en est absolument dépourvu. Et puis ce voyeurisme institutionnalisé qui feint de s'intéresser aux états d'âme d'un personnage absent, de pratiquer l'autopsie de son crime, d'en donner des détails croustillants. Surenchère de détails inutiles, mais médiatiquement corrects, pour plaire aux cotes d'écoute, ces baromètres de la séduction qui font la pluie et le beau temps.

Maxime se tourne vers Anna et referme

son livre:

– L'extrait a fait de ce policier, comme de son alter ego négatif, le meurtrier, une vedette du prêt-à-émouvoir. La question est de savoir ce qu'il en reste dans la tête de l'auditeur.

– Un extrait probablement.

– Ou pis; un extrait déformé de l'extrait lui-même déformé. À moins que la surinformation ne provoque le désintérêt le plus total. On n'écoute plus. Et c'est l'oubli qui s'installe. N'est-ce pas? Et nos penseurs, ajoute-t-il en colère, où sont-ils ceux qui doivent remettre en question le petit écran! Ce n'est pas encore entré dans nos mœurs, hélas!

Maxime s'est levé. Il y a un silence entre eux. Ils sont l'un et l'autre de ces types de personnes qui ne regardent pas la télévision mais la subissent quelques heures par semaine. Ils pourraient continuer indéfiniment cette conversation. Mais à quoi bon. Dehors, le vent s'est levé bousculant la neige sur les toits et la placidité des piétons qui hâtent le pas. Maxime tend à Anna un verre de porto puis posant le sien, il balaye l'espace de sa main.

– Ces émissions représentent parfois la plus monumentale connerie qui soit!

Anna dit qu'elle veut consulter d'autres documents d'archives, interroger les invités des talk-shows de l'époque, analyser leur témoignage. Comment se suffire de quelques éléments disparates? La fête chez les Bonin, leur départ en Floride, un viol, un meurtre, un cafouillage, une occultation notoire réussie. Mais d'Élise, de ses émois, de ses impressions, de ses humeurs, rien. Rien qui puisse l'aider dans ce voyage intérieur qu'elle désire faire.

– J'irai jusqu'au bout, dit-elle.

– C'est un risque, dit Maxime. Risque de s'égarer dans le détail, de s'évader hors propos. Il y aura toujours un écran contre la vérité. N'oublie pas que le sens du spectacle l'emporte généralement sur le sens critique et qu'on pense plus volontiers vedettariat que vérité. C'est une deuxième nature, une mentalité! Au fond, que cherches-tu?

– Ce qu'on a fait d'Élise. Ce qu'il en reste.

Sa révolte gronde. Elle voudrait sculpter sa pensée, mettre les mots sous pression picturale.

– Partons, dit-il en lui prenant la main et en l'attirant à lui. Viens avec moi, l'éloignement te sera bénéfique.

Autrefois, Anna se serait approchée plus étroitement de lui, son étreinte aurait été plus totale, irrésistible, spontanée, sans réserve. Mais aujourd'hui, elle se tient devant lui, silencieuse, abandonnant sa main, le regard préoccupé. Il aimerait la serrer encore contre lui, sentir sa peau, la couvrir de folles caresses. Elle ne voit pas les choses de la même façon. Ses pensées l'emportent ailleurs. Ils sont vraiment sur deux terrains dénivelés. Maxime l'exhorte à s'arrêter, à mettre ses pas dans les siens, à renouer avec leur passé.

Mais non, pense-t-elle, un bonheur qui bat de l'aile est déjà en état de décomposition.

12

Le professeur de droit criminel qu'Anna a rejoint par téléphone ne semble se souvenir de rien. Elle l'a appelé à son bureau, à l'Université d'Ottawa. Il avait bien participé autrefois à un talk-show sur le sujet. Le thème, *Prisonniers et réintégration* était inspiré d'une politique gouvernementale concernant les prisons. Il avait été invité comme modérateur, pour donner le change en cas de dérapage flagrant.

Le nom d'Élise lui est inconnu. Celui de Belval est semble-t-il relié à une erreur dont il ne se souvient plus. Peut-être une erreur judiciaire? Une fausse accusation de meurtre? C'est trop loin tout ça!

Le deuxième témoin, une assistante sociale, a oublié qu'il s'agissait d'une réflexion sur une politique gouvernementale. Pour la rencontrer, Anna s'est déplacée jusqu'au carré Victoria. Elle est arrivée avant l'heure du rendez-vous. Il faisait froid, mais beau et Anna s'est assise sur un des bancs et s'est mise à lire son journal. Un éditorialiste vole au secours d'un pédophile sorti de prison et fustige la publication de sa photographie sur la place publique. Mais loin de prendre sa défense, il souligne l'absence de méthodes convenables de réhabilitation.

L'assistante sociale, une femme entre deux âges, arrive à l'heure. Elle porte un feutre noir à larges bords qu'elle garde sur la tête tout le temps que dure l'entretien. Ça lui donne l'air d'un pasteur protestant. Curieusement, le bistro où elles se rendent pour déjeuner présente à l'entrée un placard peu flatteur du pédophile. C'est un homme chauve, au nez pincé et, vu de face, il a, comme sur toutes les photos anthropométriques, un air quelque peu neutre, légèrement ahuri.

– J'en frémis, dit l'assistante sociale; mon époux est chauve comme lui et porte des lunettes comme lui. Ils ont en commun le même visage large. C'est tout à fait grotesque. Tout le monde va se mettre à le soupçonner! Il n'osera plus se promener avec sa propre fille. Imaginez d'ici le scénario s'il s'approche d'une école; les commentaires des écoliers, le scandale!

Autour d'elles, le bistro est rempli de toutes sortes d'employés, d'hommes d'affaires plongés dans des conversations très animées, même drôles puisque beaucoup rigolent. Ils semblent indifférents à l'homme placardé et très peu concernés par les inquiétudes de l'assistante sociale.

– C'est l'idée même de dérapage qui nous réunit aujourd'hui. Vous ne trouvez pas cela étrange? remarque ironiquement Anna.

– Je n'avais pas fait le rapprochement. Il y a des dérapages plus insidieux que d'autres. L'affichage du placard relève d'une moralité douteuse et irresponsable. L'objectif semble bon, moral, garant de l'ordre, efficace. Et pourtant quelle erreur! Celui de l'animatrice, madame Simard, il y a quinze ans, était de sensibiliser le public aux côtés humains des prisonniers. Nous devions discuter d'un thème et les téléspectateurs ne pouvaient répondre aux questions posées que par oui ou non.

Elle parle avec passion. Et ses grands yeux pervenche expriment la fragilité de ces femmes qui travaillent sur les problèmes d'autrui. En l'écoutant parler sans l'interrompre, Anna réfléchit à l'indigence des thèmes. Elle se souvient de la mode démagogique des questions consultation: Croyez-vous à la métempsycose? Êtes-vous pour ou contre l'impôt foncier? Les écoles devraient-elles être bilingues? L'État doit-il subventionner l'école privée? Les policiers sont-ils trop violents? Le temps d'antenne accordé aux sports de compétition est-il suffisant?

Aujourd'hui encore une autre question

pourrait tout aussi bien faire courir les médias: doit-on placarder la photo d'un pédophile qui sort de prison? Comment l'évidence de la réponse ne fait-elle pas sombrer dans le ridicule et l'hypocrisie la question posée? Tiens, tiens, se dit-elle, ce pourrait être matière à une excellente discussion?

L'assistante sociale s'arrête pour allumer une cigarette puis reprend:

– On parlait beaucoup à l'époque de l'aspect catégorique des clichés sexuels dans l'éducation des garçons et des filles. Or, un meurtrier, si endurci qu'il soit, avait, dit-on, pleuré. C'est cet aspect-là qui prévalait. Le côté féminin d'un homme était perçu comme une chose extraordinaire!

– C'est curieux cette attirance des gens pour le prédateur, comme si tuer ou démolir ou faire mal auréolait le criminel, dira plus tard Anna à Maxime. J'ai eu deux témoignages complètement différents. L'un et l'autre reconnaissent le meurtrier, mais ignorent le meurtre!

Maxime est en train d'écouter les nouvelles. Quel joyeux bric-à-brac de faits divers, dernier cri, hachurés de pubs à grande vitesse! La violence quotidienne se déverse sur eux, presque sans nuances: petits criminels qui tuent par corruption; terroristes péruviens, islamistes enragés, sionistes assassins, Rwandais frustrés, corps mafieux de la population, financiers ou autres.

– C'est la ronde de l'horreur, dit-il. Voici, bien encadré, l'art d'asseoir son pouvoir sur les sables mouvants des émotions primaires! Quel merveilleux TGV de la décérébration qu'est la télévision! Bien rodé, bien minuté, parcourant tous les champs à la même vitesse, avec une redoutable efficacité!

Toi et moi sommes, tout simplement, anachroniques. Le prof de l'Université de Toronto qui clamait sur les ondes, l'autre jour, la reconnaissance du droit de tuer au même titre que d'autres droits, est, lui, de son temps. Nous, nous ne sommes plus que d'honorables métèques du monde moderne! dirait Cioran.

13

Maxime et Anna font la queue à la cinémathèque du centre-ville. Il fait très froid. Sur le trottoir enneigé, les gens se réchauffent comme ils peuvent. En sautant sur place, en remontant frileusement l'écharpe jusqu'aux yeux. Maxime, lui, serre tendrement le bras d'Anna. Dans la voiture, ils ont parlé du film qu'il a vu la veille, un documentaire sur la Grèce.

– Je regrette une chose, a dit Maxime; c'est de ne pas connaître la langue de Socrate.

Étonnée, Anna s'est retournée pour le dévisager.

– Est-ce que par hasard tu voudrais voir la Grèce?

– Mais oui... Je ne te l'ai jamais dit?

Anna a ri. Autrefois, c'est ce qu'elle aurait voulu faire. Un voyage à deux. À l'époque, Maxime s'y opposait, très préoccupé par son œuvre.

– Tu m'étonneras toujours, va! C'était pourtant, il y a six ans... Enfin bref, c'est oublié!... Tu disais: les voyages... oui, les voyages intérieurs sont plus importants! Plus enrichissants!... Quelque chose comme ça.

– Peut-être... Et maintenant, c'est la même urgence qui me tient, mais orientée vers les voyages. Puis il a ajouté en la regardant: bien sûr, nous partirions ensemble... Pas vrai?

Anna a répondu vaguement qu'il n'était pas dans ses projets de partir pour l'instant. L'idée du voyage lui plaisait, mais...

– Peut-être l'automne prochain.

Maxime a préféré ne pas insister.

Dans l'interminable file qui commence à s'ébranler, il y a aussi Simon. Il est en avant, seul. Il ne peut voir Anna et celle-ci ne l'a pas vu. Il y a parfois quelque chose qui ressemble à un acharnement du destin. Simon est à cent lieues de se douter qu'Anna, quelque part derrière lui, serre tendrement la main d'un homme. C'est en amateur de Hitchcock qu'il est là. Maxime aussi. Les deux hommes ont des goûts communs. Et Anna, elle, n'a jamais vu ce film, *La corde*. Maxime lui a dit que c'est un chef-d'œuvre dont le décor unique permet une concentration d'une grave intensité sur la situation dramatique.

On dirait que le hasard, têtu ou provocant, dispose des gens et des événements et les projette sur un échiquier pour mieux les manipuler. Logique? Fatalité? Ordre? Ou confusion? Une sorte de magnétisme a fait tourner la tête de Simon vers Anna et d'Anna vers Simon. Dans l'étonnement de son regard à lui, il y a comme un soupir. À la fois une sorte d'apaisement du désir comme si l'image rêvée trouvait appui sur l'image réelle. Il y a aussi un reproche: celui du silence injustifié. Elle lui a souri comme on sourit à une nouvelle connaissance, avec une prudente neutralité. A-t-elle saisi le message en suspens?

Simon, lui, est troublé. Il se sent tout à coup à l'étroit dans cette salle. Son espace intérieur ébranlé par la soudaine plénitude dont il s'est rempli est devenu vaste comme le monde. Ébranlé, confus, divisé, il appelle à son secours l'obscurité libératrice.

Maxime et Anna parlent en complices. Il se penche sur elle, un bras entourant son épaule et murmure presque à son oreille. Durant le film, ils se tiennent par la main. Durant tout le temps que dure l'intrigue, elle se demande comment le couple meurtrier sera dénoncé et la théorie mise en pièces. Plus tard en en discutant avec Maxime, elle se dira déçue par la moralité du film.

– Pourtant, fera remarquer Maxime, le mal est puni et les meurtriers sont aux arrêts!

– Ce qu'il aurait fallu, remarquera-t-elle, c'est que l'horreur du meurtre, la montagne d'angoisse soulevée ne soient aucunement apaisées. Que le spectateur sorte du spectacle avec un sentiment de culpabilité. Or, imagine un peu que le film soit vu à la télé, par des jeunes, un samedi soir. Imagine-les en train de boire et d'arrêter le film avant l'intervention du professeur. Que va-t-il rester dans leur tête sinon la phrase de Bernard? «Le pouvoir de détruire peut vous donner autant de satisfaction que le pouvoir de créer!»

– Oui, reconnaîtra Maxime, il y a danger. Danger d'obtenir l'effet inverse, de se reconnaître une aptitude au meurtre, d'inciter à l'imitation.

– L'origine du spectacle dans l'Antiquité, reprendra Anna, voulait que la représentation des passions humaines aboutisse à une catastrophe, c'est-à-dire, à un bouleversement. Ici, je ne vois qu'ordre. Point. En démiurge, Hitchcock a tout réglé. L'enfer et le paradis. Et cet enfer me semble bien froid!

– Et la vie, ce serait l'enfer continu? ironisera Maxime.

– Peut-être bien. En tout cas, ce n'est pas le paradis continu.

Avant de quitter la salle, Simon s'est arrangé pour être encore une fois dans le champ visuel d'Anna. La regarder et l'obliger à voir qu'il la regarde. C'est le seul message possible aujourd'hui. Seulement, il prend des risques. En en imposant à la vie, il laisse la vie le meurtrir. Main dans la main, le couple s'est engagé vers la sortie. Il se place d'abord derrière eux et dans la cohue se rapproche d'Anna au point de respirer son parfum. C'est la large main de l'homme près d'elle qu'il voit sur son épaule. Et celle-ci semble marquer les limites d'une concession. La sienne.

Exit Simon démuni!

14

Maxime a tenu ensuite à inviter Anna. Dans un petit resto du Vieux-Montréal, ils soupent devant un bon feu de bois. C'est la première fois qu'elle goûte à cette spécialité, une cipaille au lièvre et au caribou, mais, malgré le raffinement de la table, elle reste préoccupée. Les questions soulevées par le film l'obsèdent. Des séquences entières repassent sous ses yeux. Comme ces parents de la victime, conviés à souper sur le coffre qui contient le corps de leur fils. Comme le complot du couple criminel. Comme le cynisme du comportement de Bernard. Et pendant que Maxime, très gai, lui explique l'origine de la cipaille et des vieilles traditions, elle se demande quelles doivent être les dernières réflexions de ceux qui sont confrontés à l'imminence de mourir. La violence de l'acte meurtrier, laisse-t-elle place à la révolte? Pendant que les victimes se débattent, pensent-elles? Voient-elles la brièveté de leur vie, sa disparition imminente? Comment se fait leur entrée dans la mort?

Elle demande à Maxime s'il croit en l'acte gratuit. Il est péremptoire là-dessus. Pour croire en un acte gratuit, il faudrait d'abord accepter de conférer aux uns des droits qui les rendraient supérieurs aux autres.

– L'acte gratuit, dit-il, c'est un concept avec lequel on a essayé d'expliquer l'acte sans but, sans profit. Il n'y a pas, selon moi, d'acte sans but.

Il évoque un fait divers que les médias ont relaté dernièrement. Un homme et deux complices ont enlevé, violé puis tué une jeune fille de seize ans.

– Le criminel vu sur l'écran de télévision, celui vers qui s'est approché le père de sa victime, t'en souviens-tu? Il portait sur le visage une expression de gloire, un sentiment de supériorité. Toute son attitude témoignait d'autre chose que de regrets. Il faut donc croire que tuer a été pour lui la satisfaction d'un besoin. D'ailleurs, depuis Freud...

Anna se souvient de la scène. L'homme de trente ans emmené par les policiers, entrant dans l'auto-patrouille, s'asseyant en arrière, à droite, comme le fait un premier ministre ou le pape, regardant par la portière, face à la caméra, avec l'air de quelqu'un qui vient de prononcer un discours pénétrant.

Elle revoit le père de la jeune fille s'approcher du véhicule, poser une question qu'on n'entend pas et l'autre, le criminel, dire en le regardant dans les yeux: «Je m'excuse.» Et cet homme, assis à droite, aux côtés d'un policier et le père de la victime debout devant la portière sont dans la même position qu'un chef d'État et son subalterne.

– Peut-on s'excuser d'avoir volontairement ôté une vie, comme on s'excuse d'avoir, par le plus grand des hasards, piétiné quelqu'un?

Lorsqu'ils sortent du resto, Anna et Maxime se promènent lentement dans les rues. La neige craque sous leur pas. Au loin, vers le vieux port, quelques cargos océaniques prisonniers des glaces brillent de mille feux. Ils se dirigent vers le quai Jacques-Cartier, de l'autre côté de la patinoire où évoluent encore quelques inconditionnels de la glissade. Au bord, le fleuve est complètement gelé.

Tournant le dos à la ville, Anna et Maxime s'accoudent un moment pour regarder cette immense solitude blanche. Au milieu, une large bande plus sombre creuse le fleuve comme une veine. On devine que le courant très fort à cet endroit continue d'alimenter le cœur du Saint-Laurent.

Anna se prend à penser à la vie. L'amour de Maxime pour elle et son amour à elle pour lui ressemblent à ce fleuve entré en hibernation. Apparemment tout semble se scléroser. Leurs rencontres, leurs désirs, leurs habitudes, le sens même de leur liaison, leurs silences, leurs attentes qui sont ou ne sont pas l'essence même des choses de la vie. Et tout au centre, voilà qu'il y a cette flamme discrète qui court encore de l'un à l'autre. Évidemment la distance entre eux a créé des plages de grande solitude et vivre à sept cents kilomètres l'un de l'autre ne raccorde rien. Vivre ailleurs détruit le sentiment d'appartenance. La vie de Maxime est à Baie-Saint-Paul et la sienne à Montréal.

Quelles sont les probabilités de vie des amours fragilisées?

Anna regarde Maxime penché à ses côtés. Elle détaille cet homme qu'elle a passionnément aimé autrefois. Elle est encore proche de lui, de son corps, de ses odeurs, de sa force physique, de ses faiblesses, de son art, de ses pensées. Aujourd'hui, dénuée d'illusions, de jalousie, détachée de tout sens de possession, elle porte sur lui, sur eux, un autre regard, une optique mesurée. Elle aime bien cette optique. C'est l'intelligence de l'amour.

Accoudé au parapet, Maxime, de son côté, regarde luire les quelques lumières sur la rive gauche du fleuve. Il semble de bonne humeur même s'il ne supporte plus les longues saisons du froid québécois. En fait, il observe Anna. Elle qui consent à refaire des projets avec lui. Est-ce de savoir qu'il vivra dans l'expectative du soleil, de la lumière et d'Anna qu'il sent en lui ce regain d'optimisme? Ses rêves d'avenir s'arrêtent là, pourtant. Il le sait bien qu'il ne partage plus tout à fait sa vie quotidienne. Un jour, autrefois, au début de leur liaison quand elle était encore son élève, elle lui avait lancé comme un reproche l'amour de son travail.

– Mon art passe avant tout, c'est vrai, avait-il répondu. Sans lui, je ne suis rien. Toi-même, tu ne voudrais pas de moi. Mais l'amour est-il asservissement, réduction de l'autre?

Avec les années, leurs amours fougueuses et contrariées s'étaient calmées. L'un et l'autre appréciaient ce calme après la tempête.

– Parce que je suis partie à temps, lui a dit un jour Anna.

Ainsi, paradoxalement, son départ avait-il préservé une forme d'attachement.

Anna près de lui le prend par la taille et ils reviennent lentement vers le stationnement. Ils traversent la place Jacques-Cartier, croisent des gens qui sortent d'un café-théâtre. Ils semblent amusés, joyeux. L'affiche indique une pièce mise en scène par Jean-Pierre Ronfard.

– Il est excellent, dit Anna.

– Connais pas.

– Mais si, tu sais,... le père dont la... Plutôt, le mari de...

Maxime l'enlace, la soulève de terre. Anna est troublée...

À deux, le studio semble plus étroit et leurs mouvements sur le lit ont fait bouger tout à l'heure l'esquisse suspendue sur papier, représentant Élise grandeur nature. Et voilà que maintenant, elle se détache et glisse lentement à terre, sa tête venant frapper le rebord du lit. Anna la tire délicatement à elle et Maxime les regarde, se rapproche et les enlace toutes deux. Élise toujours souriant se glisse entre eux comme une soie. Le lit lentement se remet en transe. Le corps d'Élise ramolli a pris une position érotique et les interpelle l'un et l'autre. Ils la prennent dans leurs bras et leurs corps mêlés s'épousent étroitement. Si surprenante est cette caresse qu'au bien-être qu'elle ressent, Anna se rend compte qu'elle était à bout de cette absence-là.

Elle flotte dans un paysage illimité. Elle n'aurait qu'à tendre le bras pour pousser les nuages blancs qui l'entourent ou les façonner en d'étranges figures. Elle enroule l'un d'eux autour de son doigt et lui commande de devenir urne. Le voici qui se creuse et absorbe en lui tous les autres nuages. Elle plane et l'air est si bleu, si transparent qu'elle aperçoit des bulles d'oxygène descendre et monter. Le corps de Maxime pourtant l'étreint à nouveau, mais cette fois leurs caresses ont écarté le corps d'Élise. Elle a disparu, pense Anna. Où? Les limites de la chambre ont explosé. Doucement, Maxime s'est retiré et a glissé le long de son corps. Anna qui a un peu froid s'est levée et découvre cette nouvelle immensité blanche. Ce n'est pas exactement ce qu'elle a toujours rêvé de voir par sa fenêtre, mais c'est l'hiver et elle n'y peut rien. Pourtant dans les allées où elle se promène, les cèdres sont odorants et partout, à profusion, s'épanouissent des bouquets de roses entrelacées de lierre, d'iris et de glaïeuls.

À moins de cinquante mètres, elle aperçoit une silhouette. C'est Élise. Elle lui tourne le dos. Anna voudrait la rejoindre, mais ses pas sont paralysés par des branches de clématites géantes. Lorsqu'enfin elle en est délivrée, elle aperçoit Élise qui vient au devant d'elle, étrange et si diaphane qu'Anna voit à travers son corps un portail impressionnant et, au-delà, des tombes nues. Élise lui tend un objet rond qu'elle ne parvient pas à saisir si bien qu'il tombe à terre. Étonnamment, il ne s'est pas brisé. Anna le soupèse, le retourne. Sa rondeur imparfaite offre de toutes petites cavernes par lesquelles sortent d'étonnants éclairs. C'est un crâne, se dit-elle; c'est devenu un objet à la mode! Elle le pose sur sa table de nuit et s'allonge. Toute la partie inférieure du corps commence à se paralyser. Lentement, la pétrification s'étend aux bras.

– C'est le commencement de la fin, gémit-elle.

Elle veut crier. De petites plaintes font vibrer l'air. Elle se sent étouffer, appelle au secours et s'étonne de ne rien entendre. Dans un ultime élan, elle pousse un cri, un cri qu'elle croit énorme, un cri caverneux.

Maxime, près d'elle, lui caresse les cheveux et lui dit qu'elle a seulement fait un cauchemar.

15

Si les grands quotidiens n'avaient pas relaté le meurtre d'Élise, les journaux à potins, par contre, sous des titres volontairement accrocheurs, donnaient certains détails; non seulement le nom d'Élise et de son meurtrier y figuraient, mais on apprenait que l'homme d'une trentaine d'années, père de deux enfants de trois et quatre ans était camionneur et travaillait au service d'une ville de banlieue à l'exploitation d'une carrière. On apprenait également que l'arrestation avait eu lieu vraisemblablement grâce à la vigilance de l'épouse du meurtrier.

Le journal du quartier, *Le Petit Hebdo*, y avait consacré une page entière. La maison d'Élise y était photographiée et, sous le titre, *Un crime crapuleux*, l'article donnait force détails: on apprenait, entre autres, que c'était dans la cour arrière de la maison que le sac poubelle avait été trouvé parmi d'autres détritus déjà ensevelis sous la neige; contenant le corps d'Élise, il semblait y avoir été placé, plus tard, au petit matin. Une photographie montrait, sous le balcon du premier étage, le lieu de dépôt des contenants de déchets. En conclusion, on mentionnait qu'en raison des circonstances climatiques, il n'y avait pas eu de témoins du drame.

Le journaliste présentait Élise comme une jeune musicienne prodige qui maîtrisait aussi bien le luth que la clarinette et qui chantait en solo dans la chorale des *Petits chanteurs de Saint-Ambroise*. On rappelait aussi qu'elle était la petite-fille d'Aimé Saint-Martin, organiste bien connu et décédé depuis peu.

Le Petit Hebdo, dans son édition du 14 novembre, à l'occasion de l'enterrement, notait le détail suivant:

«Les résultats de l'autopsie ne se bornent pas seulement à confirmer ce que l'on sait déjà. Les contusions sur le corps de la victime sont bien causées par la répétition de coups assenés avec violence, toutefois une importante hémorragie interne a conduit le médecin légiste à d'autres conclusions; le corps aurait chuté d'une hauteur de trois mètres environ. On n'écarte donc pas la possibilité que la victime ait été précipitée du balcon du premier étage.»

C'est surtout la nuit qu'Anna évoque le meurtre d'Élise. Elle reconstitue l'ultime instant où son esprit et son corps sont entrés dans le cycle de la violence.

Crime crapuleux, chute du corps, hémorragie interne, coma, contusions, corps mutilé.

Elle a déjà vu sur l'écran des corps mutilés par le napalm; des rescapés d'Hiroshima sans lèvres, sans paupières; des guerriers sanguinaires exhibant des têtes ou des viscères fumants. L'horreur des guerres, les massacres défilent. Elle se concentre sur le moment précis où tout va basculer pour Élise. L'instant où elle a dû passer de la conscience d'elle-même, de sa paix intérieure, de la maîtrise de son propre corps, à la dépossession de soi par la violence. Entre ces deux moments doit bien survenir l'idée d'un péril, une inquiétude, un soupçon de danger, l'effroi devant l'assaut inattendu. Le saura-t-elle jamais?

Des séquences de films lui reviennent à l'esprit. Un condamné à mort au fond de son cachot. Un silence absolu autour de lui. L'effroi dans le regard. L'attente du dénouement. Puis sans transition, l'intrusion violente des bourreaux qui s'emparent du corps à tuer. Ici, le désir de faire l'économie de l'angoisse fait naître la violence. Alors que le viol du corps de sa victime rabaisse le meurtrier à un rang inférieur à celui de la bête prédatrice.

De quel effroi Élise a-t-elle souffert? La violence l'a-t-elle surprise, clouée, terrassée comme une lame de fond?

Qu'est-ce qu'un crime crapuleux? Quelle nouvelle abjection le mot crapuleux confère-t-il au crime déjà, par essence, abject? L'emploi du mot crapuleux relève, lui semble-t-il, de la subjectivité, de l'imagination ou de la révolte. Anna énumère tous les motifs de la révolte du reporter: la grande jeunesse d'Élise, ses qualités de musicienne, une brillante carrière interrompue, la filiation avec un homme sur la sellette, son grand-père. Curieusement le journal du quartier est le seul à vouloir perpétuer sa mémoire.

Elle se met à scruter soigneusement les têtes qu'elle a confectionnées. Toutes ces figures et masques représentant Élise sont encore loin de la réalité. Elle en étudie les détails, en crée d'autres où s'imprime énergiquement la souffrance. Mais aucun ne correspond toutefois à ce qu'elle veut représenter. Elle voudrait y mettre toute la douleur d'Élise, l'atroce brutalité de son meurtrier, le désespoir des siens, l'ignorance du public.

Les témoignages accumulés provoquent souterrainement en elle des discordances qui la déstabilisent au point d'inhiber son pouvoir d'ordonner les choses. Il lui faut attendre. Attendre. Du terreau informe, peu à peu, poindront de vagues figures, formes à modeler que viendra féconder son imaginaire.

Elle remodèle des masques de papier

mâché qu'elle divise par le haut. Le visage ainsi scindé lui paraît plus vraisemblable, comme mutilé, témoignant d'une symbolique des plus significatives. Le trait de ciseaux fait ainsi le lien entre la représentation du désespoir et une réalité de surface tout à fait trompeuse.

Dans les quotidiens et les hebdos, aucun commentaire n'avait été formulé sur la mutilation dont avait été victime Élise. On la mentionnait sans jamais détailler. Anna avait écrit à cet effet au service de la morgue. Les archives n'avaient pu lui fournir de documents.

Sur la bande sonore où elle a consigné le témoignage de Marguerite Bonin, le mot «mutilé» revient par deux fois. Une première fois, il spécifie qu'Élise est «atrocement mutilée». Vers la fin, il qualifie le corps en général. En écoutant la bande, Anna s'aperçoit que celle-ci lui offre d'autres pistes d'investigation. Il est en effet question de voisins, le couple Corbin, liés indirectement au drame de cette nuit-là. Elle ne doit surtout pas négliger leur témoignage.

Anna entre à nouveau dans le cauchemar d'Élise. Elle espère seulement que tout se soit vite passé, qu'Élise ait été très vite inconsciente.

La terreur, lui avait dit Maxime un jour, avant de subir une intervention chirurgicale, serait de s'éveiller au moment où le chirurgien et son équipe observent un fragment de toi que tu ne connais pas: les entrailles. L'intestin sorti de l'orifice béant, fumant même, que sais-je, le chirurgien le saisit par le bout comme on tient un reptile, tire un peu dessus, attire l'attention des stagiaires, plaisante peut-être. Et moi, le principal intéressé, je reste exclu de la scène, impuissant, clamant silencieusement le droit au respect de soi, le droit à la dignité; mais mon silence n'a d'égal que leur surdité. Et devant ce morceau de boyau sorti de moi, l'écarteur dans le ventre, je les verrais rire comme des forcenés, préparer leur bistouri, leurs ciseaux, enfoncer une sonde; je les entendrais, indifférents, se raconter des histoires, des histoires de cul, des histoires de meurtre, des histoires à mourir debout, des histoires d'épouvante. Quant à l'incision proprement dite, j'assisterais, fou d'inquiétude, aux gestes recommencés de chacun des internes autour de moi, tous coupant un morceau de ma propre chair, à tour de rôle, pour voir, pour sentir ce qu'est un tissu intestinal, commentant à haute voix, heureux de faire cette expérience-là, sur moi, rat de laboratoire, conscient, lucide, torturé et criant en mon for intérieur: achevez-moi plus vite! Mais le cauchemar continue. Je sens que l'on déchire; les ciseaux coupent, mutilent; l'aiguille longue et incurvée pénètre ma chair; des mains fébriles triturent; des regards observent les huit mètres d'intestin grêle. On me tue consciemment.

Ce serait mourir mille fois, a dit Maxime, que d'assister à cette terreur-là!

À combien de morts Élise a-t-elle succombé?

Deuxième partie

Les phares

1

Simon ne dort pas. Il ne peut s'empêcher de penser. À Anna, à la vie, au film, à la technique Hitchcock. À travers les persiennes, il regarde la rue enneigée, déserte et, au loin, les lumières de la ville. Les séquences du film évoquent, par-delà les images fictives, les drames réels qui se trafiquent aux heures troubles de chaque nuit. Il revoit le profil d'Anna, la large main de l'homme sur son épaule, imagine leur corps à corps, leur complice intimité.

Après avoir fini de faire l'amour à Anna, il s'était senti insatisfait. Non pas que ses performances eussent été médiocres, mais c'est Anna qui avait pris l'initiative, Anna qui l'avait d'abord déshabillé, Anna qui avait imposé son cérémonial, écartant ainsi sans qu'elle ne s'en doute le scénario habituel de sa propre mise en valeur. De caractère impétueux, elle ne semblait pas s'être livrée vraiment à lui. Qui était-elle au fond? Dans le mystère dont il l'enveloppait, elle vivait de mythes étrangers aux siens. Quand elle s'était rhabillée, pressée de repartir, il avait été déçu. N'était-elle venue que pour ça?

Il se rappelle de lendemains lourds, difficiles à vivre avec d'autres femmes de passage, de levers de lit embarrassés avec une inconnue à ses côtés à qui il n'avait vraiment plus rien à dire, de petits déjeuners hâtifs, sans saveur, avec comme arrière-pensée l'unique idée d'en finir au plus vite, de minauderies qui l'agaçaient. Il a déjà imaginé ces femmes comme des dévoreuses qui croquent, en même temps que leurs rôties, son espace vital; leurs rires bruyants, des ondes de choc fracassant les rythmes de son corps.

Contre toute attente, Anna avait échappé à la règle et par là même le déroutait.

Sur la table de chevet de Simon, il y a une tête de mort. La boîte crânienne parfaite, la couleur, l'arrondi s'adaptent parfaitement à son mobilier aux lignes épurées, aux tons pastel. C'est à la fois le seul bibelot et la seule note discordante de sa chambre à coucher.

Avant de faire l'amour, elle l'avait retournée. Debout devant la fenêtre, Simon revoit la scène. Anna contre lui, ses seins à la hauteur de ses lèvres. Et par-dessus son épaule, un bras qui se tend vers le crâne et sa voix qui murmure:

– C'est gênant. Il ressemble à mon père!

Plus tard, elle lui avait raconté le culte des morts, à Chypre, son pays natal; les visites mensuelles au cimetière, avec sa mère; puis un jour, six ans plus tard, le rite funéraire: on exhumait le corps du père afin de vérifier le degré de décomposition du cadavre. Usage obligatoire avant la mise en tiroir des ossements. La cérémonie rendait sa mère malade. Ce fut ainsi trois années de suite!

– Et toi, lui a dit Simon, pourquoi y allais-tu? Étais-tu donc obligée?

Elle avait haussé les épaules comme si ça allait de soi.

– Ma mère m'interdisait de regarder. Mais un jour, j'ai vu. Le crâne seulement. Des yeux creux, mais pas encore tout à fait décharnés... Je n'ai jamais pu oublier cette vision!

Simon s'était alors levé et lui avait servi un verre d'anisette. Il lui avait dit que, pour lui, c'était un fétiche.

– Je l'ai trouvé chez un antiquaire, le jour même où mon film a reçu un prix. Ce qui me frappe surtout, c'est la mâchoire inférieure de celui-ci. Elle est puissante et me fait penser à Gustav Mahler dont le concerto pour piano est l'un des thèmes musicaux du film. Les squelettes humains doivent différer les uns des autres. Tu ne penses pas?...

Contrairement à ce que tu crois, celui-ci semble mort de rire! Regarde bien.

Et Simon devant Anna avait fait des grimaces jusqu'à ce qu'Anna rie enfin!

– Qu'est-ce que tu penses de ma théorie? Celle de la diversité des squelettes?

– Ce sont les médecins légistes qui devraient répondre à ta question!

Simon est terriblement déçu. Habituellement, ses conquêtes reviennent hanter le lieu où ils se sont connus. Il possède ainsi une zone sécuritaire du désir. Or ce sentiment de sécurité n'a jamais été autant fragilisé. L'absence d'Anna s'est remplie d'attentes, d'élans, de certitudes, d'hésitations, de rêves, de curiosité.

Toutes ces idées tournent dans sa tête. Il s'en veut. Il aurait pu l'aborder, s'adresser à elle d'un ton détaché, lui glisser un mot sur une boîte d'allumettes. Mais parler de quoi? De son passage éclair chez lui? De leur fin de soirée? De la maison de la rue du Moulin? De son héroïne qu'il a surnommée Chloé? Qu'est-ce qu'être amoureux? Est-ce d'imaginer pour deux un avenir commun? Se nourrir d'incertitudes, souffrir l'absence? Appeler de tous ses vœux une symbiose de sensations exacerbées?

Anna, se dit-il, est de ces femmes repliées sur elles-mêmes, peu loquaces. Il revoit son port de tête, un regard, un profil tranché, un corps animé d'un rien provocateur. Curieusement, même si elle a commencé, pour la première fois, à prendre l'initiative, le laissant perplexe, il sent que ce n'est pas une femme menaçante. Il garde une sensation d'inexploré qui le laisse sur sa faim.

Qu'est-ce qu'une femme menaçante, au fond, se demande Simon? Il en a connu, certes, deux ou trois. En évoquant ses premières amours, il se souvient d'une forme de pouvoir que Lise voulait exercer. Une tentative de le garder sous le charme par la séduction. De le lier pour ainsi dire. S'installer en lui comme chez lui. Mais, pense-t-il, il y avait autre chose encore. Une forme de chantage rituel. Invoquer, à la moindre alerte, la responsabilité de la conduite de l'autre sur la santé, la sensibilité, le psychisme ébranlé.

Il se souvient de Clara qui s'était barricadée dans sa chambre. De six heures à neuf heures, elle avait brandi la menace d'un suicide imminent! À neuf heures, il avait dû défoncer la porte. Allongée sur le lit, elle semblait d'abord inanimée. Prise de crampes, puis de vomissements, elle avait avoué avoir ingurgité une tasse d'eau de Javel.

Quel cinéma! avait-il pensé plus tard, alors que l'ambulance les emmenait à l'hôpital.

Le plus menaçant, c'est le type de femme caméléon. Celle qui épouse vos goûts – autant dire qu'elle n'en a pas – qui se moule à l'autre. Créer une dépendance, c'est cela qui est menaçant, se dit-il. Ne concéder à l'autre qu'une volonté enrubannée qui meurt d'asservissement. Là où d'autres auraient vu complicité, Simon sentait intrusion malfaisante.

Anna, elle, ne semblait rien exiger. Le désir brûlant et rien d'autre.

Du regard d'Anna, Simon glisse à celui de la victime dans le film de Hitchcock. C'est la séquence la plus faible du film! Il s'attarde sur le visage au moment du combat final; l'instant où la victime a reconnu dans le geste des assassins son arrêt de mort. Il ne voit aucune expression de terreur, la victime ayant fermé les yeux! À quel moment a surgi la conscience de la mort? Que lit-on dans le regard de l'autre? Quelle horreur ressent-on de se voir devenu objet de haine? L'assassin est un ami qui vous veut du bien. L'ami, un bulldozer qui vous broie le corps.

Mais déjà dans l'esprit de Simon, la victime tourmentée, ce n'est pas seulement le jeune homme dans le studio, c'est aussi la jeune fille au luth.

La scène du viol de Chloé, il faut la métaphoriser, se dit Simon. Ne jamais conforter le spectateur par la chute rapide de la séquence dans la mort. Il faut montrer sans arrêt, à maintes reprises, ce visage qu'on maintient, à toute force, dans l'eau, qu'on soulève durant une ou deux secondes, le temps de faire entendre un râle immense et guttural, et qu'on immerge à nouveau, puis qui refait surface en râlant et qu'on enfonce encore et encore violemment. Un leitmotiv. Comme dans le dernier film qu'il venait de voir: *Petits meurtres entre amis*. Images figées et insoutenables du désespoir. N'est-ce pas le propre de l'œuvre d'art que d'outrepasser la réalité?

Le désespoir, se dit-il, est à la vie ce qu'une ultime sortie de secours est à une salle de spectacle quand tout s'embrase. Un appendice obligé. C'est là qu'il faut maintenir le spectateur. Pas d'issue possible pour lui. Si ce n'est la fin du film. Sinon, on ne flatte que le voyeurisme.

Il consulte son scénario. Ce qui doit disparaître de l'écran, c'est le rapport violeur, violé. Il l'a noté dans son carnet:

En aucun cas, le spectateur ne devrait s'identifier au violeur. Filmer le bon plaisir des uns au détriment des autres: malsain. Pas de champ/contrechamp, ni de plan américain. Ne jamais entrevoir la victime comme faisant partie d'un couple. C'est cette idée de couple qui instaure l'intimité et favorise l'érotisme. Or le specta-

teur est incapable, dans une scène de viol, de voir les personnages en dehors d'un rapport de couple. C'est tout le malentendu du viol porté à l'écran.

En contrepoint, montrer des scènes où l'odieux domine. Un plafond muni d'aiguilles s'enfonçant lentement sur le corps d'un prisonnier et l'obligeant à se tenir couché. (Souvenir de la guerre.) Un homme écrasant volontairement la menotte d'un bébé de neuf mois jusqu'à la broyer. Gros plan sur le visage replet de l'homme. Gros plan sur le désespoir de l'enfant. L'enfant qui pleure.

Le désespoir est l'euphémisme de l'horreur qui doit nous habiter. Peut-être suscitera-t-il la révolte?

2

Pourquoi est-ce Aline Belval, et non un de leurs propres enfants, qui s'est chargée du transport des Corbin à l'aéroport? Cette question obsède Anna et l'enquête menée auprès de Marguerite Bonin n'avait pu, somme toute, élucider le mystère. Auguste Roy, ce maître vitrier dont le prestigieux travail a permis la restauration des vieilles chapelles du Vieux-Montréal, la reçoit dans son atelier. Sa chevelure en mèches folles tirant vers le roux révèle un anticonformisme qu'on pourrait tout d'abord taxer de folklorique. Debout, devant un immense vitrail de sa composition, il termine un travail de mise en plomb et l'entretient longuement des rythmes de la lumière et de sa passion pour le Moyen-Âge. Ami de longue date des Corbin, il avait assisté à leur anniversaire même si, à l'époque, il travaillait au musée des Beaux-Arts de Boston. La question d'Anna lui paraît démesurément longue à démêler.

– C'est une histoire de famille, dit-il. De

famille et de tempérament. Chacun comptant sur l'autre, personne ne s'aperçut du départ du frère cadet. Pendant que la jeune Élise jouait, il y eut un drame entre frère et sœur. Une question d'argent ou de prestige!

Pour résumer la situation, Auguste Roy lui explique le coup de tête d'Alain Corbin, parti en claquant la porte.

– Moi-même, ajoute-t-il, je ne l'ai appris que plus tard. D'événement en événement, on finit toujours par reconstituer les ratés de la vie.

L'enjeu de la vie d'Élise était donc un petit secrétaire. Une pièce délicate, datant du XVIIIe siècle, en bois des îles. Si Alain Corbin, gestionnaire du magasin d'antiquités, était parti, c'était à la suite d'un différend qui l'avait opposé à sa sœur. L'origine du meuble, son prix, sa valeur marchande vinrent s'ajouter aux questions d'héritage, de succession, de détournement comme de convoitise.

– De ces problèmes comme seuls savent les soulever les membres d'une même famille! soupire-t-il.

C'était comme si Élise était tombée dans un piège. Chacun des ratés, selon le mot du maître vitrier, était signifiant et, en s'accumulant autour d'elle, avait resserré l'étau meurtrier de son destin.

Anna en profite pour parler de sa préoccupation: l'expression du drame d'Élise. Elle voudrait saisir ses plaintes comme ses soifs et ses rêves; capter le tout et le transcender. Ils évoquent ensemble les trouvailles modernes, les sculptures éphémères par exemple, de celles qui disparaissent à vue d'œil, immergées dans un aquarium. Anna leur préfère une formule plus engagée.

– Ce que j'aimerais représenter c'est une sorte de happening du désespoir. Et cela, ça concerne tout le monde.

– Une mise en scène de sculptures placées dans le quartier d'Élise? Oui, c'est faisable. Elles seraient intégrées au décor, aux maisons environnantes, aux arbres, aux coins sombres des rues, devant l'ancienne taverne. Et toutes les souffrances oubliées se réveilleraient.

C'est la terre cuite qu'elle voudrait privilégier. À cause de la charge symbolique de cette matière. Ou le grès. Vitrifié, il résisterait peut-être davantage.

– Évidemment, dit-elle, il faut tenir compte des conditions atmosphériques, du froid intense. La rigueur du climat pourra tout faire changer.

Ainsi, de la reconnaissance de faits réels, ils ont glissé sur le terrain de la création. Subtilement, alors qu'il manie des moulages en bosse, il s'est mis à l'écoute d'Anna. L'idée de la mise en scène le fascine. Il pense que, ces dernières années, la caractéristique des œuvres féminines est la scénarisation d'idées. Il avait déjà admiré *La chambre nuptiale*, une création d'une grande envergure, surprenante autant que prodigieuse. Une œuvre narrative qui avait fait grand bruit. L'artiste avait imposé au public un espace où il était invité à se mouvoir comme si, involontairement, il devait parcourir les étapes obligées d'une vie. Toutes les sculptures représentées étaient source d'énigmes, de réflexions, d'étonnement, d'anxiété. Il avait eu l'impression de faire une longue promenade dans un haut-relief.

– L'idée me semble intéressante, dit-il. Raconter le drame sous forme d'épisodes et à l'aide de...

Anna ne l'écoute plus tant son trouble est grand. Elle se retrouve devant un dédoublement d'elle-même. Il y a elle, Anna, encore étudiante aux Beaux-Arts, venue chercher à tout hasard, dans l'atelier de ce maître, la restauration d'un fragment de sa vie, et puis l'autre soi-même qu'elle connaît mal, une artiste qui se cherche encore et qui, là, sans crier gare, intervient entre eux.

Le plus surprenant pour elle, c'est que le simple fait d'en parler a fait jaillir en elle des structures insoupçonnables. La veille encore, dans les recoins éloignés de sa conscience, vivaient à son insu des schèmes libres de tout lien. Aujourd'hui, tout se met soudain à vivre, à s'organiser, à prendre corps.

Ainsi, toutes débridées qu'elles soient, ses idées suivent un chemin inattendu, s'aimantant, échafaudant un scénario émotionnel. Elle en est la première étonnée. Alors qu'elle croyait avoir choisi une voie conventionnelle, elle se retrouve devant une composition originale.

Ce doit-être cela la contamination d'idées, se dit-elle. Il avait fallu cette conversation à deux pour que le tout se cristallise et lui trace une voie royale.

3

Tous les mardis soirs, à L'Entrevue, Eduardo Lopez ressort sa batterie de tangos argentins. Les fous de cette danse, quelques couples, viennent accomplir leurs prouesses. Parfois Simon y va. Il cherche toujours Anna. Mais il y a aussi son intérêt qui grandit pour Chloé. Les quelques révélations du patron du bistro lui ont permis d'ébaucher un scénario resté depuis en panne.

Lopez lui avait promis de lui présenter Felipe San Luis et Georges Cossette, des habitués de la taverne d'autrefois, question de l'aider dans ses recherches.

Au fond, ce qu'il sait de l'affaire Belval se réduit à peu de choses. Drogué et ivre, un homme avait violé et assassiné la jeune gardienne de ses propres enfants. Deux ou trois indices tendaient à faire croire que le crime n'était pas prémédité.

Entre les trois hommes, la conversation s'oriente d'abord sur la corruption des armées latino-américaines et sur le scandale des troupes canadiennes en Somalie.

– Même ceux qu'on croit les plus incorruptibles sont à un moment ou à un autre tentés par les narcodollars, dit-il. Personne ne croit plus à l'honnêteté des dirigeants.

L'idée que le président des États-Unis a décerné au Mexique, il y a quelques années, un certificat de bonne conduite les fait tous rire.

– Lutter contre la drogue? Qui en est capable avec la mondialisation?

– Partenaire de l'Alena, ajoute Cossette, le Mexique peut essayer de feindre. Ou alors ce certificat, c'est le côté boy-scout du président américain.

Simon boit à petits coups sa vodka. Les trois se croient, par leur conversation, juges d'un monde aux trois quarts pourri et, à la fois, en dehors de ce monde, sur une île protégée par un système d'alarme, dernier cri, de fabrication nord-américaine, canadienne, sécuritaire et fiable.

C'est tout d'abord Georges Cossette qui évoque la tempête de neige du 4 novembre.

– La ville s'envolait dans le vent et par un froid arctique.

Mais ses souvenirs restent confus. Il évoque une autre image non moins hallucinante, vue sur l'écran de télévision. Mais il est aussitôt contredit par son compagnon.

– Ce soir-là, il y eut en ville une manifestation monstre, une assemblée de femmes. Vêtues de blanc, de pied en cap. Des fantômes!

Devant les yeux du cinéaste, passe un cortège. Mantes blanches, péril propagandiste. Un rassemblement du Ku Klux Klan!

Dans ses réflexions, il est interrompu par Eduardo Lopez qui a sorti un vieil hebdomadaire du quartier, *Le Petit Hebdo*, daté du 8 novembre 1982.

– Belval y a prétendu que ce sont les images de la manif qui l'ont incité au viol!

Simon demande à lire l'article. Il n'en tire rien de probant si ce n'est une photo de la manif. Impressionnante! À perte de vue, des rangs de femmes couvertes de la tête aux pieds. Il pense à un cortège funèbre, à ces pleureuses des bas-reliefs d'Égypte, des séries de femmes, identiques à elles-mêmes, cloniques, vouées uniquement aux lamentations des rites funéraires.

– Ces images l'auraient incité au viol, répète Lopez machinalement. Ce qu'il n'a pas dit, c'est qu'il devait savoir que la mère d'Élise était là, perdue dans la foule, supportant ces femmes, voilée elle-même, organisant un sit-in, quelque part en ville. Alors, il s'est cru permis d'avoir des droits sur la fille!

Simon est reparti. Et très tard dans la

nuit, il écrit. Son scénario est différent de ce qu'il avait prévu. Il pense pouvoir appeler son producteur dès le lendemain pour en discuter.

4

Animée d'un désir de modelage ancré dans sa vision du volume en devenir, Anna, debout dans l'atelier, confectionne à pleines mains des boulettes de terre qu'elle pose sur des tiges de métal tendues. Alors prend forme peu à peu la ligne d'un corps grandeur nature. Elle tourne autour en travaillant sa surface, affinant le cou, imprimant un mouvement à la hanche, tandis qu'elle tire peu à peu du néant le mystère même de la vie. Les yeux fiévreux, elle s'en éloigne de temps en temps, scrute les faiblesses, jauge les points forts. Son œuvre sera un hommage funéraire rendu à une amie. Au-delà de cette intention, elle sait qu'elle crée pour contrecarrer la plongée dans les ténèbres où l'oubli volontaire des uns et l'indifférence des autres ont maintenu Élise. Mais le pourrait-elle vraiment?

– Tu y crois, toi? demande-t-elle à Maxime, à la force de persuasion des artistes?

– On ne convainc que ceux que l'on touche. Et voilà, c'est toute la limite de l'art!

Et il lui montre du doigt une photographie de la sculpture qu'il doit livrer bientôt. C'est la représentation d'un groupe d'hommes jeunes aux traits asiatiques luttant contre une hydre à sept têtes que la communauté tibétaine lui a commandée.

– D'ailleurs, reprend-il, lorsqu'il s'agit d'un art engagé, ceux que l'on touche ne sont pas nécessairement ceux qu'on voudrait voir touchés. Ici, la sculpture n'aurait pas le même impact que pour un Tibétain. Et en Chine, elle serait jugée comme subversive donc interdite de séjour. En ce sens, la portée du témoignage d'un cinéma de fiction est plus efficace.

– Pourtant une interrogation au bas d'une sculpture, par exemple, c'est une interpellation qui pousse à la réflexion, non? Le film passe, la statuaire demeure.

– Bon, fait-il, n'oublie pas que l'homme moderne est modelé par les médias. Peu réceptif au symbole; davantage tourné vers lui-même!

– C'est vrai. Aussi vrai que l'importance donnée à la psychanalyse, ici en Amérique. Tout porte à favoriser l'individualisme.

– Sais-tu que toi, par contre, tu es en plein dans le mythe d'Antigone?

Elle le regarde, étonnée.

– Le mythe d'Antigone? Cette jeune fille obstinée, qui défie la mort pour enterrer le frère maudit? Mais c'est un symbole de désobéissance civile! Ce n'est pas mon cas!

Et Anna se met à rire!

– Tu sais, reprend-elle, Antigone serait de nos jours une femme décriée par les médias, une sorte de terroriste kamikaze. Imagine un peu les manchettes qu'elle aurait inspirées, les émissions qu'elle aurait alimentées, les questions qu'on aurait volontiers posées aux auditeurs, aux téléspectateurs. Antigone est-elle un agent provocateur? Beau sujet médiatique!

Anna contemple maintenant la forme pétrie, sortie de ses mains.

Elle projette de faire quelques retouches sur les épaules et le cou qu'elle veut étirer. Il y a maintenant avec Maxime et elle un troisième personnage dans l'atelier. Personnage sorti des ténèbres, de la matière brute qu'elle fait tourner lentement sur la tige de soutien. Avec une spatule, elle en travaille la surface pour effacer les traces de doigts. Après chaque recul, sa création lui fait l'effet d'un corps vivant, pendu, même si le cou est étiré vers le haut. Elle s'éloigne encore et encore pour en apprécier l'effet.

Maxime est venu la rejoindre. Extérieurement, le modelage donne à la sculpture l'aspect d'une esquisse et il trouve l'effet heureux. Par plusieurs côtés, l'œuvre d'Anna lui fait penser à *La Rêveuse* de Carpeaux, une miniature, pourtant, à côté de cette statue.

– Elle est plus grande que nature, dit Anna. J'aimerais créer quelque chose d'encore plus grand. Le grossissement outrancier me plaît. Tu te souviens du film d'Angelopoulos?

– *Le Regard d'Ulysse.*

– Exactement. J'étais fascinée par l'énorme statue de Lénine que des grues transbordaient. C'était aussi inattendu que fort. La solennité du mouvement et le gigantisme contrastaient tellement avec la dérision de l'histoire. C'était comme une tache dans ce paysage dépouillé, gris et triste à en mourir.

Quelque chose d'inattendu se produit alors pour Anna. Maxime se lève et la prend dans ses bras comme pour la protéger. Il lui enlève les vêtements souillés par la terre, la dénude sans la toucher et puis tourne autour d'elle, redressant le cou, imprimant un mouvement à la taille, aux bras. Il fixe Anna et fixe Élise.

– Au fond, dit-il, Élise, c'est toi. C'est ton image que tu reproduis.

Anna pense qu'il a sans doute raison. Une œuvre n'est-elle pas la reconnaissance de soi-même? Comme cette image que Maxime se fait d'elle qui n'est pas tout à fait celle qu'il croit, qui n'est qu'une de ces nombreuses apparences qu'il a créées de toutes pièces, qu'il va s'empresser d'étreindre pour mieux abolir cette distance à lui-même qui le contraint.

Non, dira plus tard Anna, cette forme, c'est l'essence d'Élise.

5

Anna descend. Elle a mis son grand manteau noir et ses bottes. Elle s'apprête à marcher, à réfléchir, à mettre une distance avec les événements qui l'obsèdent. Elle va à travers les rues, sans voir les maisons frileuses enveloppées de neige, ni les grands escaliers de métal verglacés, ponctuation des trottoirs de Montréal. Elle se perd dans les sinuosités du passé, fouille les moindres recoins comme des terres inconnues.

Elle repense à cet homme, l'assassin d'Élise. Assis béatement, heureux d'expliquer son scénario, sa mise au point, heureux d'en montrer des extraits. Et elle, Anna, assise avec Simon devant l'écran et reconnaissant l'individu. Ce passé l'agresse. Comme le duo de cet homme et de l'animatrice vocalisant sur les ondes à la conquête d'auditeurs muets et profanes.

Elle ne se souvient plus de la réaction de Simon. Elle s'était écriée que tout était pourri, que cet homme était l'auteur d'une mort infâme. Elle avait refusé d'en dire plus.

Elle a cru qu'avec le temps, elle penserait moins à Simon, que son désir de lui ne résisterait pas à sa fuite, qu'en prenant ses distances, l'oubli diluerait les images qui lui en restaient. Mais une part d'elle-même la ramène toujours vers lui.

Après avoir fait l'amour, Simon avait pris sa main et l'avait portée à ses lèvres. Ce n'était pas seulement un geste de reconnaissance. Il y avait une velléité de tendresse dans la pression de cette main et dans la durée du baiser. Elle en était presque étonnée, l'attribuant à sa culture plutôt qu'à un hommage qu'il lui rendrait. Il y avait quelque chose de vulnérable en lui. La mesure ou encore une sorte de nonchalance qui l'emportait sur la force de sorte que ses traits laissaient filtrer une part de féminité, de grâce, la même que celle immortalisée par la statuaire grecque dans la représentation des éphèbes, d'Apollon ou d'Hermès. Et cela la bouleversait.

Il avait un seul point commun avec Maxime. Après leur jouissance, ils se détachaient tous deux d'elle très vite. Elle sentait l'urgence d'une distance en eux, une exigence psychique absolue comme si leur intégrité en dépendait.

Son désir de lui perdurait encore depuis l'instant où elle l'avait vu pour la première fois dans ce bistro. Lorsqu'il était venu vers elle, décidé à lui parler, elle avait eu un sentiment de recul ou de peur. Peur de lui, du trouble en elle qu'il ne manquerait pas de susciter. Satisfaire le désir, s'était-elle dit, et fuir serait peut-être la solution.

Et plus tard, chez lui, quand elle s'était préparée à le quitter, il avait eu l'intuition de cette hâte:

– Tu ne pars pas tout de suite?

Il semblait blessé.

– Le temps se gâte, avait-elle dit en s'approchant de la fenêtre.

– Attends. Je vais faire du café.

C'était un café particulier qu'il avait disposé dans deux coupes givrées, les bords trempés dans le sucre. Il avait mélangé ensuite trois sortes d'alcool et, les ayant fait flamber, il avait versé cette langue de feu lentement sur le café. Ce cérémonial, comme l'homme, lui avait ouvert une porte, où des rêves l'entraînaient justement là où elle ne voulait pas se rendre.

Puis, lorsqu'elle s'était fondue dans la tempête, elle s'était dit qu'il ne connaissait rien d'elle. Un prénom. Anna. Pour elle aussi, c'était Simon. Deux êtres.

Deux flammes qui brûlent et qui se pensent seules à brûler.

6

Simon a modifié son scénario. L'histoire de Chloé n'est plus inscrite dans le destin de la jeune fille au luth. En prenant ses distances obligées avec Anna, le sujet s'est nourri davantage de la réalité de Simon.

– Il faut que vous compreniez que tout est changé, dit-il. Lorsque la jeune femme grecque arrivera à l'aéroport, le meurtre est déjà consommé. C'est au moment où elle quitte sa ville natale, Mykonos, que le viol de sa sœur, à quelques milliers de kilomètres, est en train de s'accomplir.

Simon s'interrompt, regarde son interlocuteur puis promène son regard à l'extérieur. Une immense étendue blanche miroite au soleil.

– Les scènes d'extérieur, vous les tournerez évidemment en Grèce?

– C'est absolument inévitable, à cause des effets de la lumière. C'est tellement différent d'ici! Il faudra filmer le matin à Mykonos, la blancheur des maisons, la transparence de l'air, les petites rues solitaires, la cloche qui tinte au monastère, le bleu de la mer. Tout doit baigner dans l'éclat de cette lumière. On doit voir s'éloigner lentement le bateau sur lequel voyage Marina. Par contraste, à la séquence suivante, la caméra effectuera un travelling inversé en suivant le personnage du meurtrier qui marche vers sa victime, se jette sur elle, l'entraîne dans un ascenseur, etc.

Le maître d'hôtel s'approche d'eux pour les servir dans ce restaurant déserté, perdu au bout d'un petit village des Laurentides que Simon ne connaissait pas et où son producteur l'a invité.

– Le paysage, ajoute Simon, doit dire la nostalgie du sol natal de Chloé, même si celle-ci n'est pas dans le paysage. Le paysage est inscrit en elle comme dans sa sœur qui le quitte pour aller la rejoindre. Ce sont leurs nourritures mentales.

Le feuilleté Michodière, flambé à l'armagnac, n'empêche pas Simon de continuer à analyser ce qu'il entend exprimer en images.

– La jeune femme, Marina, parle grec et se débrouille en français. Elle arrive par une nuit de tempête, début janvier et, à sa grande surprise, sa sœur n'est pas là pour l'accueillir. Elle semble inquiète, erre dans l'aéroport. Un homme va l'accoster. Il se nomme Peter. Lui aussi parle grec. Au téléphone, elle entend seulement la voix de sa sœur dans le répondeur.

Il y a maintenant sur la terrasse qui surplombe le lac, deux ou trois couples de motoneigistes qui prennent l'apéritif.

– Il n'y aura pas de scène de viol, prévient Simon.

Le producteur s'étonne.

– Pourtant, vous y faites allusion dans le synopsis que vous m'avez fourni.

– Oui, dit Simon. Mais plus j'y pense, plus je tiens à cette omission. Le viol ne sera pas représenté. La violence, oui; l'abus de pouvoir, oui.

Puis après une hésitation, il ajoute:

– Mon film est une recherche sur le temps et la mémoire.

Dehors, le coucher du soleil prend des teintes violacées. Et d'autres motoneigistes ont rejoint les premiers. On les entend rire.

– Alors, si je comprends bien, c'est l'ellipse que vous avantagez.

– L'ellipse?... Oui et non. Comme pour le viol, il y aura un rapport de victime à bourreau. Je veux dire, une ou plusieurs scènes de brutalité: un homme qui pose un sparadrap sur sa victime, celle-ci qui déboule des marches d'escalier. Des images de violence, quoi! Oui... de violence puisque ces images sont dans la tête du violeur. Ce sont des réseaux de domination, d'abus de pouvoir, de désir de violenter, de voir souffrir qui s'organisent en lui jusqu'à s'extérioriser et réduire l'autre à l'état d'objet.

Simon s'interrompt un instant. On ne sait s'il apprécie le dernier morceau de feuilleté qu'il vient d'avaler ou s'il continue à cheminer dans ses pensées. Puis d'un ton résolu, il ajoute:

– Je voudrais éviter de relier érotisme et viol, vous comprenez?

– Oui, je vous comprends. D'ailleurs, le propos du film n'est pas centré sur le viol; ce serait plutôt la survie après un tel désespoir, la lente réconciliation avec la vie.

– Oui, dit Simon. La survie de Marina.

Le producteur lui conseille vivement d'en discuter avec le coréalisateur, puis ajoute:

– Si je puis vous poser une question, pourquoi la Grèce?

– C'est que si l'on veut rester dans la modernité, il ne faut pas oublier que le transfert des populations, c'est maintenant devenue une panacée mondiale. D'ailleurs ç'aurait pu être la Pologne ou le Liban.

Alors qu'on leur sert le digestif, Simon aperçoit sur le lac une cinquantaine de motoneigistes. Ils paradent d'abord lentement puis accélèrent brutalement. Le bruit, un vacarme, attire sur le bord du lac des promeneurs isolés.

– Tiens, dit Simon, regardez cette scène.

C'est un début d'abus de pouvoir. Il est encore innocent. Amusant même pour les uns, divertissant aussi. Imaginons qu'au lieu d'une cinquantaine de motoneiges, il y en ait dix mille cinq cents et qu'au lieu d'un vulgaire petit lac, nous soyons sur la Côte-Nord, que cette bande de skieurs motorisés, pour leur bon plaisir, munis de battes de baseball, se mettent obstinément à massacrer des milliers de bébés phoques, tous les bébés phoques. Le lac deviendrait une immense étendue de sang. Le spectaculaire soulèverait l'horreur. Et plus que cela, ajoute-t-il. Supposons que ce jeu de massacre soit approuvé, commandité, soutenu comme le *nec plus ultra*, le dernier cri d'un Club multinational pour gens blasés, en quête d'émotions fortes...

– On peut imaginer beaucoup de choses, dit, un peu perplexe, le producteur.

– Qui nous empêche de poursuivre la métaphore? Ce viol collectif pénètre dans tous les foyers de toutes les villes par l'intermédiaire des médias. Aux scènes visuelles insoutenables, s'ajoutent les voix polies, neutres, mesurées de commentateurs imperturbables.

– Ce serait un film d'horreur!

Ce n'est pas ce que pense Simon qui ajoute:

– Ce sont des temps forts.

Par contenance, le producteur consulte

les pages devant lui. Au dehors, les motoneigistes ont disparu. Un silence. Puis Simon ajoute:

– L'aspect humain est assuré par le couple Marina, Peter. Elle, c'est une femme anxieuse, déroutée, qui erre à la recherche de sa sœur. Lui, essaye tant bien que mal de trouver un sens à sa vie.

Le producteur lit à voix haute un fragment du scénario:

– «Sur la place, il y a une immense manifestation. De tous les coins du Canada sont venus des hommes, des femmes. *On ne sait pas vraiment à quel sexe se vouer*, c'est ce qui est écrit sur une bannière immense sous laquelle passent des milliers d'êtres masqués. C'est comme un long fleuve dans les artères de la ville.»

– Ce serait superbe une pareille manif! s'écrie Simon. Vous ne trouvez pas? Alors que ces êtres prétendent défendre leurs droits, leur message reste ambigu. Ce pourrait être un appel aux armes pour voler à la défense de millions de femmes séquestrées, une sorte de défi lancé pour contraindre une des moitiés de l'humanité à cesser de mettre en «joug» l'autre, sous couvert des religions.

– On pourrait continuer encore très longtemps ce jeu-là, vous ne croyez pas? s'écrie le producteur.

– Absolument. Une image symbolique

n'a de valeur que par les nombreux signes qu'elle émet.

Simon interroge du regard le visage de son interlocuteur. Il semble préoccupé ou concentré.

– Je comprends tout à fait votre point de vue. Mais... il faut vulgariser. Pour mieux toucher d'ailleurs.

– C'est évident, reprend Simon... Mais pour en revenir à notre propos, il y aurait deux niveaux de narration. En fait, toutes les séquences concernant Marina et Chloé sont repensées par Pierre, le fils de Marina. Il est venu d'Athènes à la recherche d'une sculpture faite par sa tante: *Jeune fille aux cendres.* Les documents qu'il possède sont uniquement des photographies de l'atelier de sa tante. C'est son seul lien avec le passé. Sculpteur, lui-même, il est fasciné par cette œuvre et il tient à la retrouver. L'histoire de Chloé se constituera à partir de cette recherche.

Lorsque plus tard Simon se replongera dans son scénario, il notera dans son carnet:

Le viol est par définition un acte de totalitarisme. Le vol d'une vie. Comme pour les Berbères la photo qu'ils refusent aux touristes: «C'est le vol de l'âme», disent-ils.

C'est absolument indémontrable!

7

Lorsque les Corbin étaient revenus de voyage, ils avaient été atterrés par la nouvelle du meurtre d'Élise. Ils pensaient en quelque sorte avoir provoqué le malheur. Quinze ans plus tard, en l'évoquant tous deux devant Anna, ils en parlent un peu étonnés, un peu confus que tant de temps se soit écoulé sans qu'ils ne s'en doutent. Il leur semble encore la voir apparaître un peu partout, au coin de la rue, debout devant le portail ou chez eux, dans sa robe de bal, assise, le luth entre les bras.

– C'est comme une absence, disent-ils; une absence passagère et tolérée.

Puis ils évoquent l'image de la jeune fille, sa grâce, sa versatilité, son talent et ses gestes coutumiers comme celui d'ôter ce bracelet de cheville porte-bonheur, un bijou de famille que son père lui avait offert, un *kholkhal*, une belle pièce sertie de lapis-lazulis et de tourmalines roses, séparés de pointes coniques et aiguës comme des canines. Un bracelet de cheville, une arme presque, qu'elle avait oublié ce même soir chez les Corbin et qu'Huguette Corbin désignait à Anna sur le manteau de la cheminée, perdu dans un fouillis de pièces d'antiquités.

– Une arme qui aurait peut-être pu la sauver. C'est tout ce qui reste d'elle.

Et l'inoubliable soirée de leur quarante-cinquième anniversaire de mariage où, jouant du luth, elle avait incontestablement séduit l'auditoire, tout l'auditoire, des profanes pourtant, mais impressionnés par cette jeunesse qui maîtrisait si bien musique et instrument.

– Pourtant il aurait suffi de si peu pour que la fête n'ait pas lieu, que ce départ en Floride soit différé.

– Cette décision de partir le 4 novembre, ce n'était pas la nôtre! C'était pour avantager un jeune couple d'inconnus qui se mariaient le jour même et qui demandaient un échange comme une faveur.

Mais il y eut autre chose, disent-ils. Des petits riens, des insignifiances qui, plus tard, apparaissent comme les petits maillons d'une interminable petite chaîne. Un fils en colère, une fille intransigeante et un départ inaperçu.

– C'est impardonnable, cette absence de vision de notre part! Aucun de nous ne s'est aperçu du départ d'Alain. Le rappeler aurait été si facile!

Anna les suit du regard pendant qu'ils lui parlent et circulent entre les statues de bronze de leur salon, et ce couple d'un charme désarmant lui apporte avec désinvolture des photos-souvenirs de cette fête.

– Aline Belval fut dans l'obligation de nous accompagner. Elle n'avait aucunement prévu cette sortie. C'est Hugo Blanchet, le photographe de l'ONC, locataire du dessus, qui s'était d'abord offert. C'est lui qui avait passé toute sa soirée à les photographier.

Mais, semble-t-il, c'est surtout Élise qui attirait Hugo.

Anna a ressorti son propre album. Elle a choisi certaines photos. Élise dans un hamac, Élise dans un jardin, Élise à la plage, Élise posant devant un monument, en Autriche. Elle les compare aux derniers portraits pris par Hugo. Quelle différence! La jeune fille s'est métamorphosée en femme. Anna en est remuée pour ainsi dire. Et cette vision d'Élise s'éveillant au désir ou à l'amour rejaillit sur elle et vient gommer ces années de silence! Elle en est transportée et se met à danser de sarabande en gigue, de menuet en gavotte, fredonnant, dépliant ses bras, souriante, elle aussi, sous le regard d'Élise en costume baroque, tournant autour des sculptures dans l'atelier redevenu solitaire et plus vaste depuis le départ de Maxime.

– Il y eut un problème au démarrage et Hugo dut s'excuser, lui a dit Armand Corbin.

Un autre contretemps; une embûche de plus dans la vie d'Élise? Et Hugo? Qu'était-il devenu ensuite? La troublante Élise l'avait-elle touché? N'avait-il pas cherché à la revoir, ce même soir, en voisin, en photographe amoureux du modèle, en homme épris?

Heureuse. Un rien provocante. Telle elle apparaît sur les photos. Et Anna pense qu'il faut l'imaginer ainsi en cette nuit du 4 novembre lorsqu'une fois la fête terminée, elle troque son rôle de musicienne pour celui de gardienne d'enfants dans l'appartement du deuxième, contigu (encore une coïncidence) à celui d'Hugo.

Il faut l'imaginer ainsi lorsque la porte s'ouvre sur celui qu'elle ne sait pas encore être son persécuteur. Il faut repenser à ce moment d'avant, instant flou où sur une partition controuvée, entre soupir et larghetto, le cœur d'Élise écoute une voix aux tons graves, monodie troublante encore que presque inconnue. C'est là dans cette tessiture que se déploie son dernier rêve.

Ce qui s'est passé après, Anna aimerait l'oublier. Cette brusque déchirure du temps et la projection dans le cycle de la violence.

Mais la blessure reste à vif et Anna est à

nouveau dans le passage du corps d'Élise à la torture, aux sévices arbitraires, elle est dans la dépossession des droits de ce corps, réduit à n'être plus qu'un moyen de vidanger le corps de l'autre sexe.

Corps tributaire de toutes les horreurs, placé dans l'infernal centre de torture. Il y a le corps d'Élise malmené et le corps du violeur dont les mains ne sont plus des mains, mais des crochets de haine qui saisissent la chair de l'autre et arrachent les doigts, le cœur d'Élise qu'ils découpent en menus morceaux, dont les doigts ne sont plus des doigts, mais des scalpels qui coupent, s'enfoncent et fouillent les tripes à vif, dont les pieds blindés d'armures meurtrissent, assoiffés d'abus, la jeune fille réduite en bouillie, dont les forces décuplées, attelées au rouleau compresseur de la haine, pèsent, pèsent de leurs milliers de tonnes sur sa fragilité.

Recroquevillée sur elle-même, dans l'atelier éteint où pend, statufié, le corps d'Élise, Anna souhaite compulsivement que, réduite à n'être plus que combat de chair et de sang, elle ait très vite sombré dans le coma.

8

Une rue de Montréal presque déserte, un écran de télévision gigantesque. Il doit mesurer huit mètres de hauteur sur douze de large. Un téléroman est en cours. Les images sont muettes. En arrière-plan les temples de la haute finance: bourse ou banques. Boulevard René-Lévesque. Marina, debout devant un téléphone public, compose un numéro. On entend la voix d'un répondeur. Elle raccroche et sort. Elle erre dans les rues, seule, traînant sa valise. C'est une nuit d'hiver. Des flocons tombent lentement. Lumière irréelle sur la ville.

Un autre écran géant diffuse en sourdine des nouvelles. Dans la rue, des gens déposent leurs poubelles sur le trottoir. Des piles de livres. Le vent arrache les pages qu'on voit s'envoler dans le ciel, par milliers.

Sur l'écran, un homme commente un fait divers survenu le matin même: une jeune femme de 20 ans a été retrouvée sans vie dans un ascenseur du centre-ville.

«Il semble, dit le reporter, qu'elle ait été

poignardée après avoir été violée. L'assassin, Robert Ducasse, un homme de trente-neuf ans, s'est livré lui-même aux policiers. Alors qu'il faisait sa déposition, il a brusquement éclaté en sanglots.»

Le commentaire est suivi d'un court reportage. Sur l'écran, journalistes et reporters se pressent avec leur micro autour d'un policier. Mais Marina n'écoute plus comme si elle avait déjà vu la scène.

Le policier se gratte la tête (il semble ou perplexe ou dérouté), puis répond:

– C'est... son côté humain!

De la nuit, surgit un transsexuel. Il est face à l'écran et applaudit le policier. Une musique de cirque l'accompagne.

– Bravo! crie-t-il dans la nuit. Cet homme vient de résoudre le problème de l'humanité! Comment expliquez-vous qu'un criminel éclate en sanglots? C'est là toute la question! Sangloter ou ne pas sangloter?

Marina rit, mais continue sa marche lente. Le transsexuel la suit.

Toute la scène se caractérise par le silence des acteurs. Ce sont seulement les télévisions qui diffusent la parole. On doit sentir que Marina reste indifférente aux discours.

Une limousine noire s'arrête à sa hauteur. Des portes s'ouvrent qui laissent voir un lit, un couple allongé. De profil, la forme des seins de Marina en impose. Des hommes la regardent comme une marchandise. On l'invite à plusieurs reprises. L'un d'eux lui caresse la cuisse, un deuxième tente de l'enlacer et l'oblige à mettre sa main sur son érection.

Elle se dégage rapidement et hâte le pas. Les écrans géants qu'elle croise diffusent maintenant des messages publicitaires. D'autres limousines passent et défilent lentement comme un convoi mortuaire. Le transsexuel la saisit par le bras et l'attire sous une porte. Ils dialoguent puis se séparent.

Elle s'arrête devant le perron d'une maison bourgeoise. Elle sonne plusieurs fois, mais n'obtient aucune réponse. Le bruit a réveillé une voisine qui entrouvre sa porte.

– Coupez, dit Simon. Puis se tournant vers son cameraman, ce que je voudrais, ajoute-t-il, c'est exposer ma vision du monde. Nous vivons en plein surréalisme. Les humains sont pris en otage dans les filets invisibles des nouveaux impérialismes. La télévision omniprésente dans notre vie est devenue notre deuxième nature.

– Oui, fait Bernard, le cameraman. «C'est le poison des yeux», disait Wim Wenders.

Simon se gratte la tête et ajoute:

– Tu connais le tableau de Max Ernst, *La Vierge corrigeant l'enfant Jésus*? Le geste inusité de Marie battant l'enfant, allongé sur ses genoux, lui administrant pour ainsi dire une magistrale fessée, eh bien, ce geste fait à la fois rire et réfléchir sur nos automatismes, nos images mentales, immuables, figées... Quel point de vue génial! Le peintre... il est provocateur et subversif!... Il faut améliorer cette scène dans le sens de la subversion.

Pour Simon, il y a deux types de cinéastes. Ceux qui permettent aux gens de se poser des questions sans y répondre, sans rien résoudre; ceux-là font violence aux spectateurs. Et ceux qui adoucissent les coins pour divertir la majorité. Ces derniers tombent dans la bonne morale, le *happy end* hollywoodien.

– Les gens, dit Simon, veulent seulement rêver. S'évader de la réalité. Alors, ils s'en remettent aux tendres ou cruels feuilletons à épisodes. Tout est prévu, donné, fourni. Pas d'efforts pour s'engager d'une façon ou d'une autre.

Le cameraman qui suit attentivement son discours croit bon de le rappeler à la réalité:

– Résoudre l'ennui, c'est bien. Il faut tout de même ne pas tomber dans la démesure. Non?

Simon qui reste sensible à la confrontation d'idées, répond:

– Il faut être capable, tout en racontant une histoire, de produire un effet tonique.

Ici, dans ces images, il y a une dialectique entre le discours sur le viol à l'écran et l'escamotage de la dignité de la victime. Même chose pour la séquence de la limousine. Il y a là des stéréotypes concernant la femme comme marchandise possible.

– Oui, mais attention à la tour d'ivoire, c'est inefficace! On ne touche qu'un public réduit, dit Bernard.

– Le mal reste permanent, fait Simon qui poursuit son idée. Le bien est aléatoire. C'est le retour de Barbe-Bleue, dirait Artaud, un Barbe-Bleue grand consommateur de femmes et meurtrier notoire. C'est une idée moderne d'ailleurs. Quoi qu'il en soit ce n'est pas moi qui aurai le dernier mot... Il y a aussi toute l'équipe et... les acteurs eux-mêmes. Je laisse la porte ouverte à toute improvisation et même à un changement de trajectoire... Tu sais? J'ai tant de fois remanié le synopsis qu'il n'y a aucune commune mesure entre le premier projet et le dernier. Et maintenant au travail!

9

Le vol Paris-Athènes d'Olympic Airways a été retardé de trois heures. Simon est contrarié. Un pneu défectueux au moment du départ a obligé tous les passagers, déjà installés dans l'avion, à reprendre le chemin de l'aéroport.

– De toute façon, lui dit Bernard, il y a tant de choses à régler. Ici ou dans un café d'Athènes de la place Syntagma, quelle est la différence?

Il y en a beaucoup, pense Simon qui ne répond pas. La lumière, le dépaysement, la chaleur, l'air, l'âme grecque, le bouillonnement des foules jusqu'aux petites heures du matin, le retsina, ce vin particulier qu'il avait appris à aimer, il y a plus d'une dizaine d'années, en 1974, alors qu'il était à Athènes. Il revoyait la ville, bouleversée par le retour à la démocratie, la foule en liesse et lui, jeune touriste étonné par tant d'exubérance.

Cette fois-ci, il est en service commandé avec Bernard et la jeune Tatiana Pallis, l'actrice qui doit aussi leur servir d'interprète.

Conviés par la compagnie à se restaurer, ils ont pris d'abord un kir royal.

– Pour filmer les intérieurs ou la mer par exemple, dit Bernard, ce serait plus rentable d'éviter les grandes îles touristiques.

– Marina, dit Tatiana de sa voix chantante, pourrait être, comme moi, native de Skopelos, une petite île, peu touristique, à trois cents kilomètres d'Athènes. C'est pas très riche, mais l'île est restée plus authentique que Mykonos.

Simon demeure persuadé pourtant que les extérieurs doivent rester typiques de la Grèce. Maisons blanches, petites croix surmontant les dômes arrondis des chapelles.

– Pas de maisons aux toits de tuiles, dit-il. C'est ou Santorin ou Mykonos. Je sais, vous allez me reprocher une approche couleur locale, mais pour moi, la Grèce, c'est autre chose que le midi français.

Simon désigne le scénario et précise que l'éclat de la lumière doit provenir des maisons d'une blancheur immaculée se découpant sur le bleu profond de la Méditerranée.

– Le jour du départ de Marina, dit Tatiana, c'est la fête dans le village. La fête de la gynécocratie.

– Comme la fête internationale des femmes, le 8 mars.

– Pas du tout, reprend Tatiana piquée. Le 8 janvier, c'est une fête du souvenir, plutôt. Ce jour-là, les femmes sortent alors que leurs hommes restent chez eux, font la cuisine, repassent, balayent. Oui. Bon, la tradition se perd, mais si vous voulez un peu de folklore, alors...

Simon semble intéressé et se dit prêt à retoucher le scénario. Il regarde Tatiana. Cette jeune femme grande et belle qu'il a choisie entre une vingtaine de candidates n'a rien de ce qu'on appelle une beauté grecque ou de l'image que l'on s'en fait. Elle n'a ni la voix râpeuse de Melina Mercouri, ni le tempérament d'Irène Papas, ni l'angélisme de Nana Mouskouri, avait dit Bernard. Elle n'a de grec que le nom. Regard à la Charlotte Rampling, sa fragilité aussi. Quant à la voix, c'est l'accent chantant de Romy Schneider, sa féminité et son air enjoué. Il reste le type de la peau, les angles du visage, les cheveux. C'est bien le type méditérranéen.

– Quand vous pensez au personnage de Marina, lui demande Simon, comment le sentez-vous?

– Marina est comme perdue en Amérique, intimidée, désaxée, mais je crois que c'est une femme résistante. Elle a cette force de caractère qu'ont nos mères et nos grands-mères face à l'adversité, aux guerres et aux deuils. Je suis persuadée aussi que lorsque, sur le bateau qui l'emporte au Pirée, elle regarde successivement s'éloigner sa maison,

son quartier, son île, elle pense fermement à ne plus y revenir. Vous savez, en même temps qu'un très grand amour de leur pays et de leur culture, les Grecs s'exilent.

– Effectivement, le taux d'émigration est important.

– Elle n'aura jamais l'impression d'aller au-devant du malheur. Elle pourrait être aussi superstitieuse, voir des présages partout. La pluie qui tombe sur l'aéroport, une chute sur une marche, une échelle, un chat noir. Ce sont les signes d'un malheur proche. Mais justement, il n'y en a pas dans le scénario. Tout semble bien aller pour elle. Comme dans la vie, elle ne voit pas venir le malheur.

– Il y a bien pourtant un détail, dit Simon. La veille de son départ, par exemple, c'est la fête sur la petite plage. Cela pourrait être un mariage ou la fête de la gynécocratie, peu importe. Alors... Qu'est-ce qui se passe tout à coup? Un groupe de vieilles femmes vient au-devant d'elle et lui adresse la parole. Toute leur conversation vise à la plaindre pour son long voyage. C'est un peu l'équivalent de ces pythies d'autrefois. Leur complainte est une prémonition du malheur.

– Oui, c'est vrai, dans un sens. Par contre, elle va peut-être trouver l'amour. La rencontre dans l'avion de cet homme...

– On ne sait pas. Ce n'est pas sûr. C'est

seulement une aventure, une banale histoire de cul et rien d'autre. Le film ne précise rien.

Ce chœur des vieilles femmes, Simon y tient et ne comprend pas que la symbolisation ne soit pas plus évidente aux yeux de Tatiana. Ce chœur met en avant des valeurs sûres, éternelles. Le sol natal, les tourments de l'exil, la rupture avec sa culture, le «mais pourquoi t'en vas-tu?», le bonheur de vieillir parmi les siens. S'il en faisait un leitmotiv, ce serait peut-être plus efficace. La séquence des vieilles femmes hanterait la pensée de Marina dans les rues de Montréal. Pour elle, il y aurait alors une rupture de la réalité. La charge émotive se doublerait de valeur plastique. Le décor nu, le costume noir des paysannes, elles-mêmes porteuses d'un passé immuable, tout l'ensemble contrasterait avec la richesse sophistiquée, moderne de Montréal.

– Oui, fait alors Simon sortant de ses pensées; j'en ferai un leitmotiv.

Dans l'avion qui les mène à Athènes, Simon entame un dialogue avec sa voisine. C'est une jeune fille. Simon a sorti son guide de conversation. Mais elle parle français. Il apprend qu'elle se rend à Athènes et qu'elle vit à Nicosie. Quelle coïncidence, se dit-il, une compatriote d'Anna!

Tatiana, elle, se penche sur le dernier

dialogue entre Marina et Peter, avant son départ de Montréal.

– *Ma mère avait prédit à Chloé un avenir brillant!*

– *Oh! Tu sais, les prédictions... Tu y crois toi?*

– *L'Amérique... terre de rêves, de promesses, de réussite! Une prison plutôt... un guet-apens. C'est comme si Chloé était venue pour y mourir. Comme c'est étrange! Tout est fini. Ses projets de carrière, ses amours... si elle en avait!*

– *Oui, la vie est étrange! D'autres viennent ici, se rencontrent par hasard, s'aiment, partent... et se retrouvent. Écoute-moi Marina...*

– *Laisse... Je comprends, mais il me faut du temps!*

Ces dernières phrases restent ambiguës. Pour Simon, Marina doit d'abord maîtriser son désespoir. Elle ne peut pas savoir si elle est amoureuse. Dans l'unique scène d'amour entre elle et Peter, elle essaye de noyer sa douleur. Lorsqu'il s'approche d'elle, la caresse, l'enlace, elle ne réagit pas. Elle tente même de laisser le désir pénétrer en elle. Mais les images de la mort vont revenir l'obséder et c'est un échec lamentable pour les deux partenaires.

10

Le bracelet de cheville, «une arme», avait dit Huguette Corbin, était maintenant le seul souvenir qui lui restait d'Élise. Huguette Corbin le lui avait offert et Anna le portait parfois. Une façon de la faire revivre!

Des pointes en forme de cônes tranchantes comme des lames séparaient les pierres bleues et roses. À première vue, le bijou semblait inoffensif. À le manipuler de plus près, on se rendait compte que les pierres reposaient dans des pièces articulées capables de s'enfoncer d'un demi-centimètre. Le mécanisme permettait alors la mise à nu des petites lames. Autrement dit, il aurait pu constituer une arme de défense puisqu'à la moindre pression d'un corps étranger contre le sien, Élise aurait pu, pour ainsi dire, déchirer la chair de l'autre.

Anna imagine Élise dans la maison bien close. Elle est dans le salon, endormie peut-être. Une porte qui grince la surprend. Un pas lourd. Une brute la regarde, la jauge comme une vulgaire marchandise. Il n'y a pas de viol sans atrocités, sans haine, sans voies de fait, sans lutte inégale, sans cris, sans mots orduriers, sans tentative d'étranglement. Les mots sont insuffisants pour le dire. Les images aussi. Ils ne rendent compte que de l'aspect extérieur des choses. Rien ne peut décrire la frêle barrière de l'intégrité violée, la forteresse intime du moi ravagée par des coups de bélier, la dévastation de la faculté de penser, de sentir, l'anéantissement du soi, cette unité du corps et de l'âme dépouillée de ses droits, devenue propriété de l'autre, l'oiseau de proie, livrée à la curée, lacérée, dépecée vivante.

Rien ni personne ne s'était interposé. Une fatalité sans mesure avait cloué et crucifié Élise. Vide absolu de la maison, ce soir-là. Absence des parents. Seul, au-dessus d'eux, Hugo. Il aurait pu faire éviter le pire, mais il n'entra pas chez lui ce soir-là. Et ce départ des Corbin!

Nos morts, comme nos vies, souffrent décidément d'absurde.

– Au matin du 4 novembre, on annonça quelques vents froids. Sans plus.

Eduardo Lopez, le patron de L'Entrevue, avait confirmé l'erreur météorologique. Il s'en souvenait parce que ce jour-là, à l'ouverture de la taverne vers quinze heures, il avait fallu empiler tables et chaises restées sur la terrasse et les ranger dans le sous-sol jusqu'au prochain été. Ses souvenirs étaient très précis. Le chef cuisinier pris par la lourde tâche d'organiser le repas de fête prévu pour le soir même lui avait refusé toute aide supplémentaire, ce qui avait entraîné une vive altercation entre eux. L'avenir des cailles, sauce Cordoba, du dessert original en forme de bouteille de bière au chocolat et au coulis de raisin, du bœuf Wellington, tout cela fut mis en jeu par le chef, un homme qui avait le verbe haut et le juron à portée de bouche. La brasserie fêtait son ouverture et l'enjeu était de taille!

Le patron de L'Entrevue aurait préféré une inauguration spectaculaire, quelque chose de plus gai, avec des lampions et des tables de bistro sur la terrasse. Mais Montréal n'était pas Buenos Aires. Dehors, le vent faisait claquer l'auvent et gémir les portes qui menaçaient de céder.

Et comme pour s'excuser devant Anna pensive et toujours avide de détails, il avait levé les bras dans un geste d'impuissance.

11

Avec Anna, assis à cette heure matinale où les cafés de quartier sentent le croissant jambon-fromage, les rôties, le café et l'omelette au bacon, Ali Radouane retrouve toutes les heures violentes de son passé. Ce matin, son regard est plus sombre, et ses gestes plus saccadés.

Lors de sa sortie du tunnel sur la rue Jean-Talon, la glace vive lui avait fait perdre toute maîtrise. Après avoir embouti un lampadaire, la camionnette fut prise dans une irrésistible glissade percutant au passage un automobiliste affolé. Puis se rabattant à l'autre extrémité de la rue, sur le terre-plein mitoyen, il fut renvoyé comme une balle de billard vers le trottoir de droite. L'ambulance ne put éviter l'énorme bac à fleurs en ciment et le choc fut si grand qu'Ali Radouane crut se retrouver cul par-dessus tête; une ultime glissade renvoya la camionnette à nouveau sur le terre-plein où elle grimpa pour s'immobiliser enfin, dangereusement suspendue à plus d'un mètre du sol.

Il y resta à l'intérieur, tous feux éteints, durant cinq heures.

– Et nous voilà, Mathilda et moi, accidentellement retenus loin de la maison, alors qu'Élise... Des scènes de torture m'assaillent parfois. Les massacres et les sévices infligés aux Arméniens par les Turcs en 1916, par exemple. On coupait la langue aux enfants. Aux femmes, on leur arrachait les seins publiquement; les hommes étaient pendus par les pieds, écorchés, découpés à la hache ou brûlés vifs. Alors des familles entières se suicidaient! C'était leur dernier recours! Je ne sais pas pourquoi je vous raconte ça.

Ali Radouane baisse les yeux. Il murmure presque:

– Élise était méconnaissable... le visage, une sorte de bouillie! Vous connaissez le détail, n'est-ce pas? Je ne vous l'apprends pas? L'œil gauche! Il était crevé... jusqu'au cerveau!

12

– Oui, a dit Marguerite Bonin, le détail a été diffusé. Une fois. Mais il est tombé dans l'oubli. Tout s'est passé, en somme, comme si on s'était tu par pudeur ou par indifférence, par respect pour la victime ou pour épargner sa famille.

– Une victime, n'est-ce donc plus une personne? Et le tapage publicitaire autour d'un criminel, est-ce plus important?

– Ici, au moins, ajoute Marguerite Bonin, nous sommes privilégiés. La liberté d'expression existe. On peut protester. Prenez le cas de l'Argentine, par exemple. Des lois d'impunité permettent à des criminels, ceux qui ont participé aux enlèvements, d'accéder à des postes publics prestigieux.

Que la liberté d'expression puisse s'exercer librement, Anna ne la remettait pas en cause. Mais il en allait de cette liberté comme des marchés boursiers. Elle fluctuait au gré des uns ou des autres.

Ce détail de l'œil d'Élise, visé à mort, de

son visage comme une bouillie, Anna ne l'avait jamais soupçonné. À l'enterrement auquel elle avait assuré, avec d'autres étudiants, la solennité, personne n'en avait jamais fait mention. Plaie insoutenable pour les proches; pour la mère, poignard mortel. Le détail s'était perdu, négligeable, indésirable, ou jetable, refoulé hors de la mémoire comme un objet honteux.

Dans la suite même des événements retracés du 4 au 5 novembre, elle n'en voyait pas la moindre trace.

Départ de Mathilda. Soirée fastueuse chez les Corbin. Tempête sur la ville. Querelle de famille. Voyage des Corbin. Absence de l'ambulancier. Demande de gardiennage. Acceptation d'Élise. Viol suivi de meurtre.

En simultané: soirée à la taverne. Performance de Belval. Ivresse. Sortie grotesque. Chute sur le trottoir. Retour chez lui. Violence. Viol. Enfouissement du corps de sa victime dans un sac. Désir de s'en débarrasser au plus vite. Ce qui expliquerait la chute du deuxième étage du sac contenant le corps inconscient.

Le lendemain matin: retour des parents. Absence non remarquée d'Élise. Curiosité de l'éboueur. Sinistre découverte. Mort d'Élise dans l'ambulance. Confusion du meurtrier.

Elle pense à l'étrange tableau de Dali: *Désintégration de la persistance de la mémoire.* Apparente sérénité, embryon ou têtard écrasé, illusion du paysage lacustre, montres ramollies, contours fuyants et indécis du temps qui s'étire ou se noie ou qui remonte à la surface, contre lequel se brise une branche morte de l'existence. Tous ces motifs baignant dans la fausse tranquillité des choses.

Ce détail de l'œil d'Élise arraché remet en cause le réalisme de ses sculptures. Et, du coup, voilà que *Jeune fille au luth* dont elle était si fière, suspendue à sa tige de soutien, ne fait plus le poids avec ses émotions. Trop belle, trop fière!

– Pourtant, lui dit Maxime plus tard au téléphone, il s'agit de la vie avant la mort. Ce serait un des jalons de ton œuvre. À ne pas détruire surtout!

Quand j'étais jeune, je voulais la transcription immédiate de mes états d'âme. Tu connais les premiers jets maladroits, sans aucune valeur artistique réelle. Te souviens-tu de mes tableaux: *La voleuse de chair*? Un fiasco; et de *Qu'avons-nous fait de la liberté?* Prétentieux tous les deux!

– Pour moi aussi, c'est une première œuvre!

– Écoute, puisque le surréalisme t'intéresse, observes-y l'étrangeté... Dali? Oui, je sais... Bon! Mais il n'y a pas que Dali, tranche-t-il. Delvaux est subtil... Il y a une sculpture de Giacometti que j'aime beaucoup: *L'objet invisible.* Tu ne connais pas? Bon, alors, je t'envoie une télécopie par fax.

Anna médite sur cette idée d'invisibilité de l'objet en sculpture. Elle énumère et note ce qui pourrait bien être soustrait aux regards des autres: un objet, un détail, un organe, un élément vital, l'eau ou le feu, un danger, un ennemi. Par contre, ce qu'il lui faudra essentiellement représenter, c'est la perception du mal, de l'angoisse, de l'horreur.

Assise à sa table, elle dessine. Des objets. Une flamme; un œil-globe terrestre; une télé aplatie qui éjecte des animateurs, vedettes et idoles; un luth au cou de femme; un lance-flammes; un iris sur un œuf qui suinte; un liquide visqueux; un tronc de femme déformé; un sein rouge sang; quatre jambes; un pénis déformé, noué, emmêlé aux testicules; un testicule-soleil au moment du couchant; un bas-ventre masculin cachant un trou béant dans lequel elle place le globe terrestre.

Elle est presque en transe quand, vers minuit, elle se prend la tête dans les mains. Toute la scène du viol, encore et toujours, se joue devant elle. Une obsession.

Avec acharnement, elle rassemble ses dessins, en découpe les contours pour un éventuel collage. Elle entrevoit une possible structure.

Elle serait de métal, cette fois-ci!

13

Au Stash Café où ils ont rendez-vous, Anna a reconnu tout de suite Hugo même s'il n'est plus qu'une esquisse mal ébauchée de la photographie qu'elle avait vue de lui. C'est le même ovale du visage, accentué par la même barbe en collier, mais il ne reste rien de l'attrayante chevelure qui retombait jadis en boucles folles autour des yeux. De larges avancées du front ont tracé sur le crâne une désertification quasi totale.

La carrière d'Hugo Blanchet était déjà amorcée lorsqu'il loua le 329, rue du Moulin. Il possédait déjà, à l'époque, sa propre entreprise dans une usine désaffectée, près du port de Montréal; un bâtiment sinistre de l'extérieur où il dirigeait une agence de mannequins de mode, des enfants surtout, prisés par des magazines ou des publicistes.

– C'était ma «période rose», dit-il en riant. La plus belle! Je partageais ma vie entre l'insouciance, les amours, le travail. La vie de bohème, quoi!

Il eut aussi sa «période grise». Spécialisé

en vidéoclips, il fréquentait les vedettes de la chanson. Mais la concurrence féroce dans ce domaine l'obligea à se convertir à la photographie d'art et la vente d'ordinateurs. Un beau jour, parti à l'aventure dans la forêt amazonienne, il en était revenu avec une femme. Mais son mariage ne fit pas long feu, emporté par le premier vent polaire comme un fétu de paille: aux premières rigueurs du froid, sa femme s'était embarquée à bord d'un jet et s'était fondue à jamais dans le soleil des tropiques. Ce fut sa «période noire».

De prime abord, Hugo Blanchet semblait un homme jovial ayant le sens de l'humour, pratiquant avec art son métier, voyageant beaucoup. Il revenait du bout du monde. Madagascar, Tahiti, le Grand Nord et l'Inde. Il en avait ramené des photographies saisissantes qu'il publiait avec texte à l'appui. Il courait les bas-fonds, photographiait le désespoir ou la joie, la misère des défavorisés ou leur candeur, leurs soifs ou les plus hilarantes de leurs coutumes.

– Qu'est-ce qui vous fait courir ainsi?

– J'aime photographier la vie telle qu'en elle-même. Sa saveur sucrée parfois amère, la plus libre ou la plus terrifiante des contraintes, les petits bonheurs et leur revers. C'est ainsi que je suis.

Dans son album *Paysages financiers*, il y avait des photos de villes aux architectures surprenantes, des parades de mode saisies dans leur élégance la plus érotique, des travestis dans de provocantes attitudes, des banlieusards assis dans leur faste, des bidonvillois vautrés dans des résidus radioactifs, des squelettes d'enfants continuant de vivre. Toutes images rendues insoutenables par le regard de l'autre.

– L'ouvrage a sûrement été primé.

– Non, dit-il, il le serait que je refuserais. Je ne gagne pas ma vie sur le malheur d'autrui! Mais certaines de mes photographies sont publiées ailleurs dans le monde. C'est une compensation. Encore faut-il qu'elles le soient pour la bonne cause.

Il prend une gorgée de bière avant d'ajouter:

– De nos jours, il n'y a pas de vies réussies. Seulement des carrières aux dépens de sa propre vie. Vous ne croyez pas? J'ai rencontré Élise lors d'une séance de photographie, ajoute-t-il. C'était quelques mois avant sa mort.

Dans un coin du Stash Café, un pianiste improvise sur des airs de musique tzigane. Un ou deux hommes d'affaires discutent, seuls avec leur cellulaire. Et Anna écoute Hugo. Cette voix aux modulations graves qui n'a pas dû changer au fil des ans et qui avait su transporter Élise.

– Pourquoi vouloir en savoir plus? demande soudain Hugo. Pourquoi réveiller les morts? Que faites-vous dans le fond, sinon remuer dans l'eau une vase nauséabonde et stérile? Vous cherchez à vous faire mal?

– Elle est morte comme honteusement, dit Anna. Sans grandeur, sans triomphe.

– Et vous voulez célébrer sa mort?

– Exactement. Oui. Et la faire reconnaître telle qu'elle a été.

– Moi, j'ai cherché à tout oublier. J'ai tout fui. L'appartement, la ville, le pays. Il me reste quelquefois un rêve, un cauchemar. Je conduis une voiture et je suis incapable de la freiner. Comme si la pédale du frein était introuvable ou que la paralysie s'emparait de mon pied. J'essaye de crier, mais pour moi il n'y a pas de libération parce qu'il n'y a pas de cri.

Hugo continue de boire sa bière attendant quelques secondes entre chaque gorgée. On a posé devant lui trois chopes et il vient d'entamer la deuxième. Même scénario. Il ingurgite lentement avec le même rythme. Court mais continu.

– On se sent mieux ainsi, explique-t-il. L'effet de l'alcool est plus rapide. Puis il ajoute:

– J'ai conservé des photographies d'Élise dans mes archives. Des photos d'art à la

Hamilton. Je vous les donnerai volontiers. Moi, j'ai tourné la page. Résolument. Il n'y a rien de plus envahissant que les souvenirs, de plus morbide, de plus paralysant.

Il débite tout cela sur un ton rapide, tranchant. Après quoi il respire longuement. Anna le sent en colère.

– La différence entre vous et moi, dit-elle, la différence, c'est que vous avez été dans sa mort et qu'il vous a fallu à tout prix en sortir. Moi, je suis restée en retrait. Et je désire maintenant y entrer. La reconstitution de l'histoire est plus facile ainsi.

Tous les témoins de l'époque avaient revécu devant elle leurs souvenirs avec cette même culpabilité. Tous avaient perçu le destin d'Élise comme une trappe qu'on avait refermée au plus vite, volontairement pour les uns, involontairement pour les autres. Parce que c'était lourd le poids d'une jeune vie!

Comme dans le *Karman* de la philosophie hindoue, le destin d'Élise n'était pas seulement écrit dans le meurtre. Il était inscrit aussi dans l'abandon, dans une suite d'actions posées. C'était le concept du «chariot porté par deux roues». L'une étant le destin; l'autre l'effort humain ou sa négation, les deux vivant en étroite dépendance.

14

Les confidences d'Hugo ont apporté à Anna un autre éclairage sur la personnalité d'Élise. Elle a l'impression d'entrer de plus en plus dans son intimité. Le passé n'est plus ce désert aride, ingrat, dépourvu de vie. Le paysage s'est humanisé; il a pris des contours plus précis, des couleurs plus vivantes. Plusieurs plans le composent derrière lesquels subsistent encore des interrogations. Des chemins s'enfoncent dans des souterrains protégés. Pourtant, çà et là, entre les roches, il y a des signes évidents de vie. Une source, de timides bourgeons, quelques rais de lumière sous l'écran des nuages. Avec ces clairs-obscurs à l'horizon, elle a l'impression d'être arrivée au bout du tunnel. Il suffirait d'un détour encore imperceptible pour que la lumière extérieure triomphe et rejette tout éclairage blafard dans le dérisoire.

Avant de la quitter au Stash Café, Hugo avait promis à Anna bien d'autres choses que de simples photographies.

– Ce ne sont que pâles souvenirs, avait-il dit. J'ai mieux. Des faits. Si je remets la main dessus seulement...

Un matin alors qu'elle revient des Beaux-Arts, Anna trouve une lettre d'Hugo. Il lui annonce, avec son départ pour l'Australie, l'envoi d'un petit colis.

Une bande magnétique, un vieil enregistrement. Vous en ferez ce que vous voudrez. La durée est de quarante-cinq minutes. C'est la bande sonore du drame d'Élise. Tout y est. Fidèlement. Bruits insolites, étouffés, coups et cris sourds, sons inintelligibles, plaintes, meubles renversés, lutte sonore quoique confuse. Il aurait fallu les analyser. Je n'ai pu. Même si l'écoute me fut insupportable, j'ai tenu à la faire. C'était ma façon de l'accompagner dans sa mort.

Pardonnez-moi ce côté voyeur. Cette bande est évidemment un accident. Car vous l'avez sans doute compris, j'avais installé un micro sur le mur mitoyen!

Audace ou impertinence? Peu importe. Ce sont folies de jeunesse et Élise s'en doutait bien. C'était ma façon de lui faire la cour. Elle en vaut bien une autre!

Il était environ vingt-trois heures trente quand j'ai quitté mon studio ce soir-là. Je n'y suis revenu qu'aux petites heures du matin. Je me suis endormi sans me douter de rien. C'est par la radio que tout bêtement, comme un vul-

gaire quidam, j'ai appris la nouvelle.

Encore un petit aveu: je vous ai fait l'effet de quelqu'un d'indifférent. C'est une fuite. Uniquement. Une telle mort nous tient dans l'obligation de renouveler constamment notre foi dans la vie.

15

Le portail est encore fermé. De l'autre côté, tout est couvert de froid et de solitude. En Europe, il y a maintenant des cimetières aux tombes étagées. Le cercueil y entre comme dans un tiroir. Puis on scelle la planche de marbre. Mais le manque d'espace n'est pas encore un problème nord-américain et les cimetières ici paraissent moins habités, moins lugubres. Les morts ne souffrent pas de promiscuité et l'hiver si dur est comme le prolongement de leur vie *post mortem*. À côté, l'autoroute métropolitaine gronde comme un océan tumultueux.

– Élise St-Martin, a répété le gérant du cimetière.

Il a consulté ses archives. Il a trouvé tout de suite l'emplacement. C'est un homme doux et prévenant. Il a fait asseoir Anna sur une chaise et lui a montré le plan sur un mur. Puis, il a dit en souriant comme s'il voulait la distraire et chasser l'émotion qui la gagnait, peut-être aussi parce que sa façon à lui d'échapper au quotidien morne qui est le sien, c'était de parler aux vivants:

– C'est une belle journée de printemps. La neige a fondu. C'est pas toujours triste, un cimetière, vous savez. C'est vert comme un terrain de golf... et c'est fleuri.

– Vous n'aimez pas la neige?

– J'aime la neige. Et ici, au moins, elle reste immaculée... On dégage seulement les allées. Mais, l'hiver est long, trop long. Cinq ou six mois! Cent quatre-vingts jours de froid!

Anna a suivi les instructions. Elle cherche dans les allées le lot B-32.

Le préposé au cimetière rôde. Il est, lui aussi, plein de sollicitude. Il l'aide à trouver la place. Élise est à côté de Mathilda. Anna n'arrive pas à lire l'inscription. Ses yeux sont embués. Il y a aussi une grande photo d'elle. Une photo laminée, encastrée où Élise sourit. Un sourire de fin d'études, un semblant de bonheur. Comment font-ils ces photographes pour vous fixer ce visage d'éternité?

Elle s'accroupit et, de sa main, creuse un petit espace et y dépose une rose rouge, puis elle recouvre la tige d'une poignée de terre.

Tout de suite, Élise est devenue une petite personne insignifiante, un petit tas de sang mêlé aux cellules cervicales répandues sur elle. Il fallait cacher au monde que cette chose vulnérable que protège le crâne pouvait s'épancher au dehors par cet œil devenu brûlant comme l'enfer. Elle est devenue ce qu'il y a de plus obscène. À éviter, à masquer, à taire absolument.

Que reste-t-il du corps d'Élise? Cette question la hante tandis qu'à pas lents, elle regagne la sortie.

Troisième partie

La Vie, la Mort, l'Amour

1

«Voyez-vous, dit Olivier Sylvestre, elle avait tout pour faire une brillante carrière dans la musique. Du génie, du génie, du génie. Et puis un physique intéressant, une fortune personnelle et, le dirais-je même ironiquement, une personnalité médiatique. Oui, pourquoi le nier, les médias ont raté leur coup complètement. Ils ont oublié de monter en épingle le prodige et la grâce. Je ne sais de quel imbécile distrait vient le choix irraisonné de rejeter dans l'ombre un pareil talent. C'est bien l'indice de notre modernité: s'empresser de noyer la douleur dans l'oubli, la mort dans l'indifférence.

L'avantage le plus évident aurait été la diffusion de sa musique. Oui, sa musique, répète-t-il. Dans le cyberespace, elle aurait eu quelque chose d'ailé comme elle-même, comme son nom. Sarabande, gavotte, menuet, passacaille, gigue ou chansonnette, elle aurait transformé le mal-être adolescent. Et rock et hurlements auraient cédé le terrain à la subtilité. N'est-ce pas une gageure moderne?»

Tel il parlait dans les jardins intérieurs de l'exposition horticole où Anna et lui s'étaient donné rendez-vous. Et pendant que de Bach s'élèvent dans l'immense serre les mouvements du cinquième *Concerto brandebourgeois*, pendant que la foule recueillie glisse entre le bruissement des sources et les parterres fleuris, qui se serait douté que deux individus inoffensifs propulsaient plus haut que musique de subversives analyses?

Anna s'arrête de temps en temps pour mieux le fixer. Sous une apparence fragile, Olivier cache une énergie hors du commun. Si Élise était la grâce, il représentait l'assurance, le tuteur de soutènement contre lequel s'appuie la fleur. Qu'importe alors, vu la qualité de leurs rapports, d'en savoir davantage sur leurs émotions?

– J'étais amoureux d'elle, dit-il comme s'il devinait ses pensées. Comme on devient amoureux d'une œuvre d'art, de la perfection, de la puissance de création, des valeurs que l'autre représente... Mais quoi enfin? On est amoureux de soi à travers l'autre...

Anna comprenait. L'amour n'est pas seulement l'absolu de la chair. L'entente des uns provoque souvent chez les autres d'incroyables malentendus!

2

Café du port, face à la mer, Simon réfléchit à haute voix. Il aborde l'évocation du viol de Chloé. Bernard l'écoute. Le serveur vient de déposer devant eux des feuilles de vigne farcies et une carafe d'arak.

– Alors ce *Prométhée enchaîné*. Il t'inspire?

À Épidaure où Aleka l'a accompagné, Simon a vu le *Prométhée enchaîné* d'Eschyle.

Oui, cette sorte d'extraterrestre, supplicié par Zeus parce qu'il a pris le parti des hommes et dérobé pour eux le feu du ciel, l'a touché. «Dans cette tragédie, lui avait dit Aleka, c'est Prométhée qui fait lui-même son destin. Il vole le feu, de plein gré, le cache et le donne aux hommes.»

Entre deux bouchées, Simon répond à Bernard:

– Dans la tragédie grecque, celui qui franchit les limites est toujours puni. Si nous revenons à Chloé et à sa sœur Marina, celle-ci risque de croire qu'on ne s'exile pas impunément et que sa sœur est morte d'avoir quitté son pays.

– Très juste, dit Bernard. D'ailleurs, le chœur des vieilles femmes semble tout à fait prémonitoire. Elles viennent accentuer cette fatalité.

– Mais, dit Simon, j'avoue en toute humilité que le cinéma est plus spectaculaire que le théâtre. Avec ses trucages, son montage, la grosseur de l'écran, ce dernier peut amplifier l'horreur jusqu'à la rendre insoutenable. Écoute bien.

Simon lui lit quelques extraits de la pièce.

– La pièce d'Eschyle ne fait vraiment pas le poids! Le cinéma peut faire mieux par les images que par les mots. Grossissement du détail, envahissement de la douleur, enfer de la torture!

Il demande abruptement à Bernard:

– Qu'est-ce qu'un viol pour toi?

– Un jet de vitriol incendiant le corps de l'autre.

À Skopelos, les séances de tournage à l'intérieur se passent de l'aube à midi. Le reste du temps toute l'équipe part en bateau faire le tour de l'île, s'arrête à Limmonari, s'y baigne. Souvent Simon marche en solitaire dans les rues étroites, monte sur les collines, visite de petites chapelles, regarde l'horizon, le ciel et médite. Ici, pour lui, le temps s'est arrêté. Tout devient harmonieux, tout rentre dans l'ordre. C'est une nouvelle naissance au bonheur d'être, à l'espoir, comme si toutes les zones sombres de sa vie avec tous les maux de l'humanité réintégraient leur boîte de Pandore.

La première fois qu'il a fait l'amour avec Aleka, Simon a eu l'impression d'étreindre l'âme immortelle de la Grèce. Dans leur corps à corps, il épousait la rondeur de ses clochers, la nudité de ses petites îles et, de ses caresses, il sculptait la blancheur des maisons, le doux hérissement de ses collines, la beauté des cariatides, la perfection des amphores. À Athènes et à Épidaure où ils se sont réfugiés, leur ardeur s'alimentait de cette chaleur qu'exhale la terre et Simon sentait dans leur ivresse monter en lui, avec des odeurs marines, la subtile senteur des eucalyptus mêlée aux odeurs de musc.

Aucun des deux n'avait rien demandé à l'autre. À Athènes, elle l'avait d'abord invité à la Plaka dans un de ces petits restos où les bouzoukis entraînent dans leur rythme et dans leur volupté les touristes éperdus d'exotisme. Un bain de foule lui avait permis de la prendre par la taille, il l'avait sentie frémir puis leur désir les avaient précipités dans une chambre d'hôtel.

Les amours éphémères? Que lui apportent-elles? Simon pense que ce sont des moments de forte intensité pendant lesquels seul subsiste un fragment d'histoire heureuse et rien d'autre.

– C'est un moment exceptionnel pour moi. Et toi?

– Le bonheur n'est-il pas la répétition d'amours recommencées?

– Ainsi, pour toi comme pour moi, seul le temps présent compte.

– Oui. L'amour, c'est aussi pour moi la légèreté. S'il pèse, ce n'est plus l'amour. C'est une descente aux enfers.

– Comment va-t-on se quitter?

– La vie et le travail se chargeront de nous!

– Il faudra tourner la page.

– Tu la reliras cette page de temps en temps?

– Pourquoi pas? Cette page et bien d'autres... Elles constituent un moi intérieur secret. De petites oasis de fraîcheur! Et soudain l'aridité du quotidien devient tellement plus supportable.

Leur corps à corps les reprenait et leur lieu n'était plus la prosaïque chambre d'un hôtel d'Athènes ou d'Épidaure. Ils voguaient dans un espace sacré, sur les sommets de l'Olympe ou dans le sanctuaire de Delphes. Le temps aboli leur donnait cette faculté d'inventer l'éternité. Ils se quittaient pour se reprendre inlassablement, se grisaient de mots d'amour, de chaque parcelle de leurs corps, de petits riens, de baisers furtifs, de caresses dérobées comme si, par magie, leur énergie épuisée se ressourçait aux bienfaits de la mélatonine.

3

Presque tous les soirs, lorsque Anna rentre chez elle, rompue par son travail, un ou deux messages de Maxime l'attendent. La veille, dans le studio, la petite lumière rouge clignotait. Elle avait écouté. C'était Maxime justement:

Mardi, 23 heures. Vernissage réussi au château Mercier. Je te raconterai. Pourrais-tu me rappeler demain, après 15 heures?

Mais Anna avait rappelé en vain. De toute façon, s'est-elle dit, il n'y a rien de grave.

Mercredi, 22 heures.

Premier message:

C'est encore moi. Je suis désolé pour hier; impossible de me libérer à temps. Ta voix sur le répondeur, manquait d'entrain. Tu travailles trop, j'en suis sûr. Où en sont tes projets? Rappelle lorsque tu rentres.

Deuxième message:

Excuse-moi, Anna. Je serai absent. Une semaine environ. Je pars avec Claude tout de suite. Travail en commun de sculptures sur les rives de l'Isle-aux-Coudres. C'est un projet qui m'emballe. Je pense à toi. Ta décision pour la Grèce, tu m'en fais part? Suis passé devant l'agence de voyages. Il y a des prix alléchants incluant une croisière.

Message d'Anna à Maxime:

C'est Anna. Tu as deviné; le travail m'étrangle. Rencontré le photographe qui a connu autrefois Élise. Il s'appelle Hugo. Conversation extraordinaire. À plus tard.

Jeudi, minuit, avant de s'effondrer sur son lit, Anna écoute ses messages. Il y en a trois:

Premier message:

Salut, c'est Maxime. 18 heures. Je croyais te trouver. Où es-tu passée? Ici, avec Claude, c'est super. Excellente entente. Nos idées se complètent. Les sculptures seront conçues sur la thématique de l'eau et de la terre, deux éléments fragilisés par l'homme industriel, dieu du XXe siècle. Je te rappellerai.

Deuxième message:

C'est encore Maxime. 20 heures. Il a fait incroyablement beau. Nous avons pris l'apéritif sur une terrasse. Nous nous demandons, Claude et moi, si tu veux contribuer à notre projet. En ce moment, tout est sur papier... Il suffirait que tu l'examines tout de suite, qu'on en discute, que tu donnes ton accord. Après, pour la réalisation, on verra... Je rappellerai un peu plus tard.

Troisième message:

22 heures. Pas de chance, ce soir! Je commence à m'inquiéter. Pourrais-tu laisser un message sur mon répondeur?

Vendredi, 8h45, Anna appelle Maxime. Peut-être le trouvera-t-elle à cette heure matinale. Mais, non.

Bonjour, c'est Anna. Hier soir, travail intense autour du projet Élise. Je travaille dans un atelier au Vieux-Montréal. C'est grand, spacieux, clair. Le projet avance. Quant au travail que tu proposes, cela me paraît intéressant. Est-ce qu'on pourrait se rencontrer? Chacun pourrait faire une partie du trajet. La ville de Québec me paraît être un bon compromis. Qu'en penses-tu? Je rentre tous les soirs à minuit. J'ai reçu par la poste un petit colis. C'est un envoi d'Hugo. Un objet incongru! C'est le moins qu'on puisse dire. Je t'en parlerai de vive voix. Si ça tient pour Québec, on pourrait toujours se rejoindre chez Nathalie. Qu'en penses-tu? Je pourrais m'y trouver samedi soir vers minuit ou dimanche matin. Ce soir je ne bouge pas de chez moi.

Vendredi, onze heures. Le téléphone. C'est Maxime. Et cette fois, c'est Anna qui lui répond.

– C'est toi. Enfin! Alors, ça va? Ton travail prend corps? Mais d'abord, parle-moi de cet objet... Tu as piqué ma curiosité!

– C'est une bande magnétique. Tu ne devineras jamais de quoi il s'agit.

– Élise!

– Oui. Mais...

– Eh quoi! Sa musique, sa voix. Une entrevue enregistrée datant de...

– Non. C'est... insoutenable!

– Mais quoi?

– La scène du viol!

– Non!!!

– Un cadeau empoisonné. Elle est sur ma table. Et je l'entends... C'est tragique!

– Écoute, Anna. C'est aller trop loin vraiment! Tu mets ça au fond d'une malle et tu l'oublies... Anna, tu m'écoutes?... Anna!

– Oui... Bien sûr, au fond d'une malle. Mais... j'ai un besoin urgent d'en parler.

– Alors on en reparlera!... Pour Québec, ça irait. Donc, je t'attends samedi, chez Nathalie. D'ici là qu'est-ce que tu feras?

– Mon boulot. Ça continue. Tout devrait être terminé pour la mi-mai. Plus qu'un mois! Il s'agit de plusieurs sculptures. Elles seront placées dans la cour de la maison d'Élise ou dans les rues avoisinantes. Je crois que j'ai trouvé un titre: *Résurgences inespérées*. C'est un peu pompeux! Non? Mais ça ferait bien aux yeux des profs!

– Et la réaction du prof?

– Il a trouvé l'idée originale. La réalisation lui semble jusqu'à présent satisfaisante.

– Bon, je ne veux pas te brusquer... heu... mais... Et la Grèce?

– Ah! la Grèce...! Tu sais, je n'y pense pas du tout!

– Ça viendra, fait-il conciliant.

Vendredi, quatorze heures. Deux messages l'attendent.

Premier message: *13h15. C'est encore moi. Maxime. Désolé. Nous avons un pépin. Léger accident d'automobile. Nous avons glissé sur une plaque de glace! Il faudra réparer le radiateur. Donc rendez-vous retardé. Nous n'arriverons pas avant dimanche, onze heures, à Québec. Sinon, je te tiens au courant!*

Deuxième message: *C'est encore moi! J'ai complètement oublié de te parler de l'événement de la semaine dernière. C'était le festival des jeunes cinéastes québécois, à Baie-Saint-Paul. Quelques films remarquables! J'ai fait la connaissance d'un cinéaste du nom de Vigeant. Tu connais? Ce qui m'a frappé, c'est le sujet de son prochain film. Reconstitution de l'œuvre d'une jeune artiste sculpteure, étudiante au Québec. Je crois qu'elle est originaire de Grèce. C'est aussi une histoire de viol. Tu ne trouves pas cela curieux? J'ai pensé que c'était une bien drôle de coïncidence et que cela l'intéresserait d'entrer en contact avec toi. Il va sûrement t'appeler. Il revient de Grèce. Il m'a l'air sympathique. À bientôt.*

4

C'est seulement lorsque Maxime lui a reparlé de Simon qu'elle a senti que sa vie risquait de basculer. Comment et pour quelles raisons Simon s'est-il intéressé au viol? Étrange coïncidence? Transmission de la pensée? Simon lui avait parlé de films policiers, de violence. Des films de série B.

– J'en vois rarement, avait-elle dit.

– Le détective doit y démêler une histoire de mœurs.

– Et il tombe amoureux de la victime?

– Non, justement. Parce qu'elle est le plus souvent morte. Ce que je déplore, ce sont les scènes de violence et souvent ces scènes sont mêlées d'érotisme, ce qui pousse le spectateur à la complaisance. Il y a des gens qui prétendent justifier toute cette violence en la plaçant sous le signe de la catharsis. Sa représentation serait bénéfique. On en sortirait purifié de ses propres violences. Qu'est-ce que vous en pensez?

– C'est plus complexe que ça, la catharsis. Chez les Grecs, la tragédie met en scène des drames familiaux ou politiques.

– Justement, on est loin de la violence du monde moderne.

– Bon, vous savez... La tragédie grecque est liée à sa culture. Par exemple, toutes ces légendes et toutes ces histoires de vengeance, de meurtres ou de cruauté des dieux et des hommes, toutes ces histoires, ça formait l'inconscient collectif.

– Et la catastrophe finale, ce n'est pas du tout la mort en série infligée par un justicier!

– Absolument pas! À part une ou deux exceptions, il n'y a généralement pas de scènes d'horreur sur la scène du théâtre grec. Seulement l'évocation du meurtre.

– C'est vrai. C'est seulement par le discours que le public est au courant.

– Quand on y pense, c'est le cinéma en premier qui a visualisé la violence.

Après cette réplique d'Anna, Simon avait rappelé l'histoire de la conquête de l'Ouest américain. Il avait dit que le western avait ses sources dans l'imagerie du peuple, que le justicier qui triomphait de la crapule était la représentation de la loi du talion, que c'était une sorte de mythologie moderne.

– Malheureusement, certains westerns ont magnifié la race blanche au détriment des Amérindiens.

Alors qu'ils parlaient, le patron de L'Entrevue avait ouvert le poste de télé, au-dessus du bar. C'était la soirée du Cirque du Soleil avec sa musique, ses images et ses acrobaties surprenantes. Le bistro s'était rempli. Simon et Anna, fascinés comme les autres, regardaient le petit écran.

Plus tard, à brûle-pourpoint, Simon s'était tourné vers elle.

– Il n'y a pas que la violence. Et l'amour? Il existe aussi!

– Lequel? avait-elle répondu.

– Toutes les sortes!

Puis il lui avait proposé de faire une petite promenade sous la neige. À l'extérieur, il l'avait tenue par la taille et lui avait proposé de venir écouter un disque chez lui. Après, c'est elle qui l'avait provoqué parce qu'elle aimait les situations claires. Elle s'était accrochée à son bras et lui avait dit:

– Après le disque, la baise?

Simon l'avait regardée, surpris.

– Pourquoi pas, au fond! Surtout par les nuits de grand froid! avait-elle ajouté en riant.

5

Maxime pense souvent aux limites étriquées de ce qu'on appelle lit conjugal. Ce sanctuaire de l'amour devrait demeurer sacré et non devenir lieu prosaïque de sommeil, le plus farouche adversaire de l'intégrité. Il l'accepterait s'il devenait démesure, portion de désert, île flottante, vallée ou lac illimités. Tel qu'il est, il est prison. Du corps et de l'esprit. La contiguïté est une limite à laquelle il ne s'accoutume pas.

Il était l'homme de l'escapade, mais il ne se reconnaissait nullement dans le donjuanisme qu'on lui reprochait parfois. Car ce n'était pas de conquêtes qu'il voulait vivre, mais d'exploration. Ce qui l'avait attiré en Anna, c'était d'avoir à défricher un tempérament d'artiste qui cherchait encore sa voie. Avec elle, il avait eu l'impression de mettre au monde un être neuf qu'il avait modelé lui-même selon ses propres règles de l'art.

Quand il repense aux femmes de sa vie, Maxime évoque toujours les premiers instants. Ceux pour lesquels il a senti sa vie basculer ou renaître. Avec Anna, par exemple, l'imprévisible avait marqué la première étape.

Il était rentré chez lui, une nuit, peu après dix heures, lorsqu'il avait aperçu de la lumière dans l'atelier qu'il prêtait aux stagiaires. Il était descendu au sous-sol et il l'avait vue, Anna. Elle travaillait encore sur sa copie grandeur nature d'Aphrodite. Elle s'était dénudée devant un miroir, s'observait et achevait de galber les cuisses, de remodeler les seins de sa sculpture. Il l'avait contemplée longtemps sans faire le moindre geste pour ne pas l'effaroucher. Elles étaient aussi belles l'une que l'autre. Deux sœurs dont l'une faisait la toilette de l'autre, Aphrodite à peine plus grasse. Lorsqu'elle eut terminé et qu'elle le vit, elle eut une réaction toute naturelle, même joyeuse et lui demanda:

– Alors ce nu, est-ce qu'il est réussi?

Elle tournait autour de sa sculpture, fière de son travail, portant sa nudité avec naturel, provocante sans en être consciente. Troublé, Maxime avait répondu:

– Lequel? Le vrai ou le faux?

Elle avait alors éclaté de rire et s'était mise à danser de joie. Sans un mot, Maxime, l'ayant rejointe, l'avait prise dans ses bras pour la faire valser lentement, puis de plus en plus vite. Il avait pensé au *Déjeuner sur l'herbe* de Manet, et au scandale qu'il avait soulevé à l'époque. Ensuite l'embrassant longuement dans le cou, il l'avait soulevée et posée avec une douceur infinie sur l'établi. Mais, très vite, Anna s'était rhabillée et était partie précipitamment.

Il avait rêvé toute la nuit à son corps!

Il ne l'avait plus revue durant une longue semaine. Son corps nu le hantait. Pour toute consolation, il n'avait qu'Aphrodite tenant de sa main droite la dérisoire savate avec laquelle elle se défend de la hardiesse du dieu Pan.

Après avoir connu le trouble et la hantise, il avait traversé les affres de l'attente et s'était jeté à corps perdu dans la création.

Manifestement, il ne manquait pas à Anna et lorsqu'elle était revenue, il s'était aperçu, à son indifférence, de la vanité de son exaltation. Il s'était mis alors à douter de lui et à souffrir d'hallucinations. Dans la rue, à chaque tournant, il la voyait, elle, sa silhouette; il fit aussi de nombreuses esquisses de son corps: *Femme nue*, *Femme au soleil*, *Portrait de femme*, *Femme couchée*. Il s'était alors dit que son obsession était un véritable virus et qu'il devait se soigner au plus vite.

Était-ce cela l'amour?

Désir, attirance, passion, tendresse, tout n'était-il pas mêlé? À quels signes pouvait-on déceler que l'un l'emportait sur l'autre. Qu'était-ce vraiment l'amour? Une psychologue lui avait déjà dit qu'en majorité, les hommes ne savaient pas s'ils aimaient ou pas. Leur hantise du sexe formait écran.

Soit. Comme il n'aimait pas souffrir, il avait décidé d'en parler à Anna.

L'automne suivant, un bal champêtre lui en avait fourni l'occasion. Après souper, des couples s'étaient mis à danser sous les pommiers. Maxime discutait entre artistes de la nouvelle politique du ministère de la Culture lorsqu'il la vit. Elle dansait avec un étudiant. L'avait-il accompagnée? En était-elle amoureuse? Il la perdit des yeux et, tout le reste de la soirée, la chercha du regard. Puis elle était venue à lui pour le saluer, il avait bafouillé et avait gardé longtemps sa main dans la sienne. Elle s'était mise à rire et lui avait dit:

– Vous dansez?

– Très mal..., mais je peux essayer. Vous voulez m'initier?

– Rien de bien compliqué. C'est un «slow». On le danse comme on veut. Les amoureux font du surplace, certains tournent en rond, d'autres plus habiles font des figures plus élaborées.

– Va pour le surplace, avait-il dit.

Aussitôt il l'avait serrée contre lui. C'était une fenêtre qui s'ouvrait sur l'été!

Ils avaient dansé longtemps, serrés l'un contre l'autre, puis il avait osé lui parler de son désir d'elle.

Mais pour Maxime, amour et stabilité n'allaient pas de pair. Cette équation est factice, disait-il. C'est une utopie léguée par les religions. Il y a seulement de petits plaisirs sertis dans de redoutables imperfections.

L'idéal, se plaisait-il à dire, ne réside pas dans la spécialisation, mais dans l'éclectisme.

8

Entrer soi-même dans la tourmente, exprimer sa révolte, intensifier les émotions, susciter chez le spectateur un sentiment d'empathie, les recréer avec des formes originales, sont les défis auxquels Anna est confrontée.

En dehors de toute appartenance à un style, les couleurs et les formes de la violence ont un langage qui leur est propre. Anatomies étranges, expressions lugubres, outrées. Ténèbres. Contrastes. Aussi bien pour Picasso, pour Munch, pour Lipchitz, que pour Moore...

Le drame éternel qui se joue entre le prédateur et sa victime devant l'indifférence collective est magistralement représenté dans une eau-forte de Picasso. *Minotauromachie*.

Des roses, une bougie allumée et son extrême innocence. Voilà tout ce que la petite fille de Picasso oppose à la férocité du monstre à tête de taureau qui se précipite sur elle. Tout le mouvement de cette œuvre est une montée hallucinatoire de la terreur. Force déchaînée du taureau, mouvement d'épouvante du cheval, étrange immobilité de la fillette, indifférence des deux femmes accoudées à la fenêtre. Le climat d'angoisse implacable naît de la dialectique des distorsions. Il n'y a pas de sauveur possible. Le Christ, impuissant, s'enfuit lui-même.

Fatum à l'état pur. L'inéluctable est là. Palpable. Une deuxième lecture permet à Anna de pousser plus loin l'analyse. L'œuvre demeure criante d'actualité.

Le jeu cruel et amoral de l'arène se voit ici transposé dans la force inégalée de ce monstre mangeur de chair fraîche, qui va par sa seule puissance procéder à la mise à mort. Le mythe grec jumelé à celui de l'Espagne permet à l'œuvre de Picasso de rejoindre l'essence même de notre époque. Fascisme, violation des droits, agressions, meurtres, abus de pouvoir, viols, tueries, folies collectives, cruauté mentale sont bien les manifestations de la bête qui s'active dans l'homme.

Le destin de cette petite fille, celui de la jeune république espagnole, livrée au franquisme, rejoint les préoccupations d'Anna. C'est bien celui d'Élise terrassée par le malheur, sacrifiée à la satisfaction des besoins sadiques de son propre minotaure, dépecée au couteau, enfouie dans un sac poubelle, lancée comme un ballot sur d'autres détritus puis oubliée, victime d'une féroce indifférence parce que innocence et pureté sont devenues valeurs *out*, peu marchandes.

Les temps ont changé et si les victimes sont toujours aussi nombreuses, de nouveaux manipulateurs sont nés. Et Anna songe aux cotes d'écoute, aux croisades médiatiques imposant leur dictature, à leur surenchère de détails, à la pléthore de communiqués quotidiens, à la multiplication d'émissions peu utiles, mais médiatiquement correctes, à l'émergence d'autres valeurs plus *in*.

Aujourd'hui, clamant haut et fort ses prérogatives et son bon plaisir, imposant sa loi, le Minotaure s'infiltre dans les replis de notre intimité avec la tranquille assurance d'un oiseau de proie s'abattant sur sa victime.

Anna souhaiterait, elle aussi, dire l'émotion, donner à penser le désespoir, se distancier de l'obscurantisme nouveau dispersé aux quatre vents d'une mémoire provisoire, créer pour que reculent les forces de l'oubli, pour que triomphent innocence et beauté. Pour que soit déconstruit le monument au silence et aux ténèbres, ces subtils bâillons des temps modernes.

Elle comprend qu'il lui faudra introduire des distorsions dans ses réalisations, disloquer des formes, les restructurer plus audacieusement, augmenter les zones d'ombre de ses sculptures, en accentuer les angles sans quoi elle risque de ne peindre que la douleur sans jamais pouvoir représenter les affres de la brutalité.

10

C'est après sa conférence au festival des jeunes cinéastes québécois, à Baie-Saint-Paul, que Simon a trouvé la séquence-choc qui fera partie du générique. Il sortait du Centre artistique en compagnie d'une jeune femme quand ils ont été surpris par des éclats de rire.

Devant un théâtre de marionnettes improvisé, assis sur les marches du Café Pellan, six enfants suivaient avec passion les contorsions du grand méchant ogre battant rageusement sa victime Blondine. Après chacun des coups reçus, l'ogre rotait, Blondine s'affalait et, hors d'haleine, laissait pendre une langue aussi longue que ses nattes.

– Encore, encore, criaient les enfants.

Le montreur de marionnettes répétait la scène; l'ogre battait, sa victime s'évanouissait, la langue s'étirait et les enfants riaient. Sa mémoire photographia la scène.

– C'est marrant de voir les enfants rire de si bon cœur!

– Mais, fait remarquer Simon, essayons

d'imaginer que soudainement Blondine soit poignardée réellement lors d'une fête foraine, et que le clown tueur continuant à faire le bouffon s'élève dans les airs, se gonfle, devienne ballon et plane sur les spectateurs ahuris. Que croyez-vous qu'il arriverait?

– C'est le dilemme! s'écria la jeune femme.

– Pas du tout, reprit Simon. C'est un remarquable tour de passe-passe. Et la joie la plus pure s'emparera de tous. Voilà tout. C'est le plaisir du moment qui a occulté le drame.

– Mais la réalité finit toujours par nous rattraper.

– Oui, dans un sens et surtout au théâtre. À la fin du spectacle, les morts ressuscitent, vont saluer les spectateurs et la tension tombe!

– L'émotion tombe à zéro!

Le soir de ce même jour, lors du cocktail de fermeture, Maxime, en compagnie du peintre Alain René, aborda Simon et lui fit part de l'intérêt qu'il manifestait pour son scénario.

– C'est frappant, dit-il, la corrélation entre votre sujet et un fait divers survenu il y a quelques années. Une amie sculpteure a repris le même thème.

– Intéressant effectivement, dit Simon

troublé.

– Il est vrai que les moyens ne sont pas du tout les mêmes. Ni les points d'arrivée.

– Sculpture et cinéma... Deux arts si différents! Ce serait tout de même curieux de comparer.

C'est Simon, le premier, qui a proposé de la rencontrer et Maxime a trouvé l'idée excellente.

Puis, ils avaient encore reparlé du jeune cinéaste Patrick Woo, le Québécois hongkongais dont le film avait été très remarqué au festival. Alain René pensait qu'il était d'envergure internationale et Maxime a ajouté que, tôt ou tard, Hollywood le récupérerait. Son film, qui tenait à la fois du fantastique cauchemardesque et du rêve, racontait l'histoire d'une famille d'immigrants dont le fils, un architecte, avait épousé une Québécoise; une caméra virtuose, des images souvent muettes les montraient aux prises avec leurs difficultés, leur méfiance et leurs rêves.

– Un sujet, somme toute, banal, dit Simon, mais quelle perfection dans le montage!

– Les images aussi, dit Alain René, elles sont éblouissantes.

– Le rêve et la réalité, ajoute Simon. Deux pays, deux cultures. Plonger à Oka et refaire surface dans la mer de Chine, c'est symbolique de l'angoisse d'avoir perdu son pays, sa mémoire. Comment refait-on le passage inverse? Comment se reconstruire quand tout est tellement différent, parfois même hostile? Le thème de l'architecture n'est pas gratuit. Construire et reconstruire ou se perdre.

– Se battre, se jeter à l'eau jusqu'à se compromettre, trahir ses origines, lutter, souffrir...

– Il n'y a que le cinéma pour rendre cette émotion.

– Devant une sculpture ou un tableau, c'est vrai que l'émotion est... plus esthétique. Là c'est la forme qui l'emporte, dit Maxime.

– Pourtant, reprend Alain René, l'émotion, et là, je parle de l'affectivité, l'émotion est criante dans les œuvres de Munch. Je ne dis pas «C'est beau!», mais «Quelle angoisse!».

Plus tard, Simon a repensé à cette phrase sur Munch et au langage propre à chaque art. Il se souvient d'une pièce de Botho Strauss. *Le temps et la chambre*. L'oppression que subit le spectateur provient du désarroi de cette femme qui meuble le temps présent de personnages et d'un passé révolu.

Et la télévision? Aurait-elle un langage propre?

Certains talk-shows ou même des téléfilms évoquent des situations angoissantes:

infidélités, divorces, déchirements, viols, fuites ou meurtres. Il imagine les spectateurs les écoutant d'une oreille distraite, entre deux pubs, pendant un appel téléphonique, durant une dégustation de vins, de fromages ou de bières et même entre deux parties de jambes en l'air; à moins que ce ne soit simplement devant un succulent dessert.

Quel rapport y a-t-il alors vraiment entre l'état d'âme d'une adolescente décrivant, au petit écran, ses morsures et ses bleus à l'âme, et le spectateur qui a choisi de se distraire en grignotant?

L'antagonisme des sexes aidant, il y a fort à parier qu'une bonne partie des télémaniaques s'identifiera au violeur et à sa violence.

Empathie? Rivalités des sexes?

11

– Lui rendre justice plutôt, lui avait dit le professeur.

– Non, non. Lui rendre hommage, avait repris Anna.

Entre eux, avait suivi une polémique sur les deux mots «justice» et «hommage». Selon lui, le mot «hommage» n'impliquait pas l'idée de victime alors que le mot «justice» signifiait la conformité au droit, la reconnaissance du mérite.

– Or, disait-il, Élise a été frustrée de certains droits.

– Il y a là un côté moral que je refuse. C'est vrai qu'il y a eu crime, insouciance, outrage à la victime, mais, voyez-vous, je n'ai pas l'intention de me poser en justicière; ce n'est pas mon tempérament.

Anna comprenait tout de même son point de vue. Mais de là à substituer «justice» à «hommage» dans son mémoire, il y avait une marge. À moins de le dire autrement, s'est-elle dit, conciliante.

Réfugiée provisoirement dans un domaine monacal, sans téléphone, sans distraction, sans obligations, Anna réfléchit à son travail. Son œuvre, un groupe de quatre sculptures, serait disposée devant la maison où vécut Élise. Martine à qui elle avait montré une de celles-ci s'était exclamée:

– Tu as abandonné la terre cuite pour la tôle!

Anna s'était justifiée:

– Pas tout à fait. La composition comprend deux éléments de métal, dont celle-ci, une en terre cuite et une dernière, la plus violente, qui contient les deux matériaux. Elle s'intitule provisoirement: *Mise à mort.*

Elle lui avait alors montré la maquette. Sur un socle de métal reposerait une forme, un globe oculaire, en terre cuite, qu'une vingtaine de lames transpercent. Un bras de métal à la main aussi étrange que rapace constituerait le socle où reposerait l'œil.

– C'est la projection directe de la brutalité s'acharnant impunément sur...

– Oui, je comprends. Ce sera très violent.

– La main sera stylisée, chacun des cinq doigts représentés par de redoutables scalpels. S'il le faut je multiplierai la taille par deux. Ce sera la plus choquante des quatre.

Anna avait ajouté:

– Sais-tu ce que je rêvais de faire? Un haut-relief. Mais rien ne s'y prêtait; ni le lieu auquel il est destiné, ni le style de la maison. Puis d'ailleurs, le métal rend mieux l'idée de violence. Il symbolise bien les armes, la guerre. Les quatre sculptures seront regroupées en un demi-cercle et formeront une composition unitaire allant de 1m55 à 50 cm. Celle-ci, *Jeune fille au luth*, c'est la plus grande. Si le projet est accepté, je dispose encore de quelques mois pour sa réalisation. De toute façon, avait poursuivi Anna, accepté ou pas, je produis et j'expose.

Martine tournait autour de la sculpture, l'observant.

– La tête, le cou, le torse sont repérables. On devine la forme d'un instrument de musique à cordes faisant partie des plis de la robe.

– Un luth brisé. La composition en demi-cercle, avait-elle ajouté, n'est pas l'effet du hasard. La convexité représente le globe oculaire.

– Oui, un œil creusé.

– Toute l'histoire d'Élise est au fond de cet œil! On retrouvera ce motif de l'œil évidé dans les quatre sculptures.

Anna avait sorti d'autres croquis, d'autres esquisses.

– La deuxième des sculptures, se nommera *En soi*. C'est une femme en position de fœtus. La caisse de résonance d'un luth se confond avec le torse, s'arrondit et retombe de biais. Le cou en forme de manche s'abaisse vers la terre pour rebondir en douceur. Ici, vers le milieu, le nombril esquisse une rosace alors que la tête est traversée de chevilles. Le thème du luth revient par trois fois.

– Quatre sculptures... Et pourquoi pas trois?

Anna avait fait un geste évasif.

– J'ai pensé aux éléments qui vont par quatre. Les quatre saisons, par exemple. On parle de quatrième dimension. Il y a aussi, bien sûr, les quatre éléments fondamentaux. Puis les quatre mouvements d'une sonate...

Après souper, lorsque Anna s'est aperçue qu'il ventait très fort et qu'une petite pluie mêlée de grésil s'était mise à tomber, elle s'est retirée dans l'ancienne petite chapelle.

Un vieil homme au chapeau écossais, debout, admirait un vitrail: Marie-Madeleine repentante, à genoux devant Jésus de Nazareth. Qu'y avait-il de si captivant? Les couleurs? Les formes? Le mythe? Celui des redresseurs de torts?

– C'est magnifique, lui a dit le vieil homme. Toute l'histoire mondiale est dans ce vitrail. D'un côté la Marie-Madeleine, victime ou faiseuse de troubles, de l'autre le pharisaïsme des redresseurs de torts.

– Mais, a répliqué Anna, on est loin du monde moderne des Marios, des *turtles* et des Rambos!

– Que voulez-vous dire?

– Eux aussi, ce sont, comme vous dites, des «redresseurs de torts» ou plutôt des justiciers.

– Ça, dit-il, en clignant d'un œil, c'est un mythe américain.

– C'est en train de devenir un mythe universel avec l'industrie du jouet...

– ?

– L'imaginaire des enfants... Vous savez ce que je veux dire?... Le justicier, le sauveur, le meilleur, le plus habile, le plus «tout», c'est l'ami américain... le héros incorruptible qui punit. Tant que ce justicier était héros de western, ça pouvait aller. Mais à l'heure qu'il est, c'est le pays entier qui lui vole la vedette... Le «planétarque» américain, c'est un mythe en train de nourrir l'inconscient collectif. Vous ne trouvez pas?

Mais le Monsieur au chapeau écossais qui sort en même temps qu'elle de la chapelle ne semble plus l'écouter. À l'extérieur, il n'y a plus de grésil et quelques touches de soleil éclairent la clôture de cèdres.

– Jeune fille, lui dit-il, vous lisez trop entre les lignes. Dans ce vitrail, c'est la figure christique, la dominante. Elle occupe le centre du vitrail, Elle domine les autres par sa grandeur, sa dignité. L'auréole est un véritable soleil rouge. Remarquez les doigts du Christ. L'index et le majeur, en forme de V. C'est le V du pacifisme, de la génération des *Peace and Love* et le règne de la Vérité avec un grand V.

Si le Christ est proche de la génération des *Peace and Love*, où classer la Marie-Madeleine? Avec les *punks*, les féministes, les *ravers*? Et les redresseurs de torts? Avec le groupe des pervers?

Anna a oublié de lui demander son avis.

12

Le lendemain, Simon assista à une conférence sur le septième art et le rapport que les cinéastes entretiennent avec le petit écran.

Très vite le mécontentement s'accrut quand le critère des cotes d'écoute fut évoqué, mais lorsqu'une jeune cinéaste lança ce qui devait devenir le leitmotiv à succès de la journée: «la sous-culture générée par les cotes d'écoute est en train de coloniser notre inconscient», les passions se déchaînèrent. Ce critère fut désigné comme l'ennemi public numéro un de l'art en général et du cinéma d'auteur en particulier. On tira à gros boulets sur les talk-shows, ces émissions de charme, à la mode aux États-Unis, où l'animateur-coqueluche est la principale vedette.

– Ces vedettes sont devenues nos maîtres-à-penser, à vivre. Leurs moindres mots, leurs moindres gestes sont commentés longuement. Et l'on pourrait dire quasiment: dis-moi quelle chaîne tu fréquentes et...

– Un communicateur n'est pas nécessairement un accoucheur d'idées, répliqua quelqu'un d'autre.

– Oui aux documentaires sur des problèmes cruciaux. Non à la redondance superficielle, cria quelqu'un.

Une jeune femme raconta à Simon, plus tard, comment on recrutait ceux qui pouvaient ou non passer à la télé.

– Les invités sont triés sur le volet et peuvent être éliminés pour une simple question d'intonation de la voix.

– Je ne comprends pas.

– C'est simple. Ça se passe au téléphone. On vous fait parler. Tout votre curriculum vitæ y passe. Il faut réciter pour ainsi dire toute sa vie, le lieu où l'on a vécu, où l'on travaille... Des questions sans grande originalité. Vous croyez qu'enfin on parviendra à l'essentiel, lorsqu'on vous prévient que l'entretien est terminé.

– Alors?

– Alors, rien. J'y suis passée. J'ai échoué au test.

– On vous a donné la raison?

– Le manque d'enthousiasme, paraît-il. Il semblerait que d'autres réussissent, même en s'adressant à un écouteur!

De son sac, elle a tiré un paquet de cigarettes.

Simon s'est éclipsé un instant pour revenir avec une assiette de canapés.

– Bonne idée, a-t-elle dit, je commençais à avoir faim. Savez-vous que je n'ai pas compris tout à fait le sujet de votre film?

Il eut un geste d'étonnement. Peut-être avait-elle raté une partie de sa conférence?

– Pourtant, j'ai suivi attentivement. En fait, je connais beaucoup de détails. Mais le fond m'échappe.

Elle avait piqué sa fourchette dans un canapé qu'elle s'évertuait à couper en deux.

– Tenez, je vais vous en donner la preuve. Voici ce que j'en sais: Marina est arrivée le jour du meurtre de sa sœur. Elle a une liaison avec un homme. Montréal *by night* est montré à partir d'un miroir déformant qui fait de ce film un film d'atmosphère.

Elle prenait son temps, respirait entre chaque phrase.

– Il est question aussi de la recherche d'une sculpture ayant appartenu à cette jeune créatrice. Chloé, je crois... Comme vous voyez, je ne fais pas le lien entre tous les épisodes.

– Effectivement, dit Simon, c'est tout ce que j'ai dit; je n'ai rien ajouté de plus. Il faut bien réserver quelque surprise! À vrai dire, le récit se passe à plusieurs niveaux. Les séquences sur Marina à la recherche de sa sœur sont celles d'un passé lointain. Elles constituent un flash-back rêvé par Pierre, le fils de Marina. Car c'est lui le narrateur. Il remonte le cours du temps, sa mère étant depuis peu décédée. Le voilà donc à Montréal à la recherche d'une sculpture inachevée. *Jeune fille aux cendres.* Mais aussi pour une autre raison secrète: il désire faire la connaissance du père qu'il n'a jamais connu. Que va-t-il se passer?...

La parole suspendue, Simon l'a regardée, mi-moqueur, mi-sérieux, attendant une réaction.

– Au fait, je ne me suis pas encore présentée, fait-elle narquoise, elle aussi. Si je vous disais mon prénom, vous ririez.

– Ah!

– Je m'appelle Marina! C'est un nom commun, on dirait?

13

Dehors, une petite pluie fine, une bruine enveloppe la ville d'un brouillard de tulle. Le printemps à Montréal est ambigu et gris. Il n'y a pas de renouveau immédiat. La nature prend son temps pour débouter l'hiver, ses congères, ses bourrasques, son froid tenace et les premiers signes du printemps sont d'ordre auditif. Des ruisselets d'eau apparaissant dans d'étonnantes anfractuosités sculptées par le vent et le calcium, glissent vers les bouches d'égout. Des croûtes grises craquent comme des branches sèches sous les talons des piétons avant de se couvrir, tôt ou tard, de giclées de boue noire provenant de la circulation routière.

Cette grisaille en marche vers la lumière crue de l'été, ce furtif bruissement d'eau sur l'asphalte ou sous la glace sont une variante mélancolique du printemps. Et Anna s'en réjouit.

C'est encore très tôt. Lorsqu'elle revient de sa promenade, elle se concentre sur son mémoire. Il faudrait encore une vingtaine de pages pour terminer tout ce qu'elle veut dire. Elle écrit, écrit. Sur fond musical. *La Jeune fille et la mort*. Toujours poignant pour elle, ce quatuor à cordes. Un rapprochement de plus entre cette musique intense et sa méditation sur Élise!

Dans un coin du studio, le répondeur clignote. Il y a cinq messages. Hier soir, quand elle est rentrée, son premier soin a été de couper la sonnerie du téléphone.

Vers minuit, Anna est ressortie. Elle aime marcher la nuit quand les maisons autour se sont éteintes l'une après l'autre. Elle a l'impression alors que la ville lui appartient.

C'est une nuit douce. Les trottoirs sont encore mouillés. Elle marche sur la chaussée dans la tache lumineuse laissée par la pleine lune. Une panne d'idées l'a tirée d'elle-même. Un problème de proportion qu'elle doit résoudre d'ici à demain. La deuxième sculpture, *En soi*, trop basse par rapport aux trois autres aurait besoin d'un socle ou d'un support. La conformation risque d'en être modifiée.

Élise retrouvée par l'éboueur en état de coma profond, était pliée littéralement en quatre. Dépassant l'hyperbole, Anna l'avait imaginée accroupie, les pieds à plat, dénudée, l'œil ensanglanté, la tête rejetée en arrière comme si son bourreau lui avait brisé le cou avant de la saisir par les cheveux et de l'enfermer dans le sac. En accordéon. Dans la position d'un fœtus hors norme. Et avait surgi, des esquisses du corps plié d'Élise, cette étrange forme qu'elle avait conçue en terre cuite. Anna avait voulu sculpter la mort et c'est la vie qui avait pris forme.

Souvenir jailli d'eaux troubles, blanc nymphéa.

Sur le répondeur, il y a maintenant sept messages.

Premier message: mardi, 15h. Voix de Maxime.

Bonjour Anna, tu dois être en pleine rédaction. Alors, bon courage. Je voulais savoir si tu aimerais participer à une randonnée dans le Grand Nord canadien. Je te préviens, les conditions de vie seront dures. Il s'agit d'un safari-photos. On part de Roberval, au lac Saint-Jean. On fait la réserve Ashuapmushuan et l'on se rend à Chibougamau puis Mistassini. Ça me semble passionnant! Qu'est-ce que t'en penses? Je te rappelle dans deux jours. J'aimerais que tu y viennes,... hein?

Deuxième message: jeudi, midi.

Anna. C'est Martine. Encore en plein travail? Ça en a tout l'air. De mon côté tout va bien: boulot, ruptures, regrets et sympathies nouvelles. La routine, quoi! Dis donc, j'ai écouté la bande sonore. Infernal! Une chose me paraît étrange. Tout d'abord, il y a tout un scénario monté par le bonhomme Belval. Son tintamarre, son langage très coloré, sa voix puissante, tout cela a dû réveiller les deux enfants qu'on entend pleurer dans le fond. Élise semble absente. On entend la voix du père engueuler et tabasser les enfants. Il y en a un qui hurle. Puis c'est la voix d'Élise qui s'interpose. Venant d'où? Un bruit lointain semble être celui d'une porte qui s'ouvre. Ce qui peut faire croire qu'Élise était déjà partie? Est-elle revenue sur ses pas pour consoler les enfants? A-t-elle compris que l'attitude du père laissait à désirer? On entend une berceuse. Puis brusquement plus rien. Des bruits qui proviennent du salon. Bruits de lutte et de coups sourds. Des gémissements puis la voix du mec qui crie des obscénités. Bon. J'arrête. Question de temps. Je vais faire examiner la bande par un expert. Je t'embrasse. Ne t'en fais pas trop!

Troisième message: jeudi, 18h30.

Bonjour. C'est Simon, Simon Vigeant... (Un silence.) *Pourrions-nous une deuxième fois converser ensemble? Voici mon numéro... Je me rends souvent dans ce bistro, L'Entrevue, et j'y serai cette semaine, vendredi et samedi soir. Y viendras-tu? Peut-être à bientôt?*

Quatrième message: vendredi, 10h. Voix de Maxime.

Bonjour Anna. Toujours pas de nouvelles de toi. Le travail avance-t-il? Où t'es-tu réfugiée? Dimanche, je serai à Québec. Pourrais-tu y venir?

Cinquième message: dimanche, 20h. Voix de Maxime.

J'appelle de Québec. Désolé. Tu n'es pas là. J'aurais bien fait un saut jusqu'à Montréal. Mais j'ai l'impression que tu ne rentreras pas chez toi de sitôt. Salut!

Sixième message: lundi, 9h. Voix de Martine.

Ça se confirme pour la bande magnétique. C'est un peu tout ce que j'ai déjà dit. Élise n'a jamais crié. Une autre petite précision: la porte d'entrée qu'Élise a ouverte pour aller au secours des enfants ne s'est pas refermée tout de suite. L'expert est formel là-dessus. C'est plus tard, sur la bande, qu'on entend un juron suivi d'un bruit sec comme si le bonhomme avait entendu monter quelqu'un et que, brusquement, il l'ait refermée de justesse. Qui?... Le photographe? Cela correspondrait bien en définitive, car la bande s'arrête peu après... Attends. Il y a autre chose. Avant le drame, il y a une musique de luth. Je te rappellerai plus tard... Je pense que ça t'intéressera. Je travaille encore dessus.

Septième message: lundi, 16h. Voix de Martine.

Voilà, c'est fait. J'ai fait enregistrer le jeu de luth. J'ai donc une cassette à te donner. Où es-tu donc? Tu sais, c'est très touchant! C'est Élise, qui joue. Elle s'interrompt souvent, se reprend. Est-ce une étude? Est-ce une création? Il y a un mouvement en particulier qu'elle répète constamment comme si elle voulait apprendre à le maîtriser. La durée est de 11 minutes 35 secondes. C'est une musique mélancolique!

Quatrième partie

Le temps et la mesure

«Nommer, c'est créer, et imaginer, c'est naître.»

Octavio Paz

1

Maxime s'est souvent demandé ce qui l'avait poussé à se renier lui-même vis-à-vis d'Anna. Les circonstances, il ne les avait jamais oubliées. Son drame, c'est qu'il aimait entretenir avec les femmes des rapports de séduction. Il aimait les femmes, toutes les femmes et il aimait Anna. Mais les sorties clandestines, les petits mensonges et les feintes avaient fini par gruger leur entente.

– Si deux êtres qui s'aiment ne parviennent plus à s'entendre, lui avait-elle dit un soir, alors...

Elle avait terminé sa phrase par un geste vague. Et pris de court, il avait répliqué qu'il ne savait plus s'il l'aimait ou s'il l'avait vraiment jamais aimée.

La colère d'Anna fut foudroyante. Et puis un soir qu'il n'était pas rentré à l'heure habituelle, elle était partie. Sans laisser de message. Sans laisser d'adresse.

Et depuis, il se reprochait cette phrase et le ton qu'il avait pris. Comment avait-elle pu croire sérieusement à ce «Je ne sais plus si je t'aime»? Cette fois-là, il n'en doutait pas, ses paroles avaient dépassé sa pensée. Et il y avait mis du défi. Et ce défi couvrait, il le sait, sa culpabilité. Quel piètre amant il faisait parfois!

Un jour, elle lui avait reproché son égoïsme:

– C'est ton bon plaisir qui compte, lui avait-elle dit.

Elle avait même fait un lapsus remplaçant «plaisir» par «pénis». Cela l'avait mis en rogne!

Une bonne fois, s'était-il dit, j'écrirai un livre de type américain. Il s'était mis alors à chercher des titres:

Les mots qui tuent la vie d'un couple.

Les clés de la faillite d'un couple.

Paroles d'une ex.

Sauvetage du couple.

Couples à la dérive.

Voyage au bout du couple.

Des couples comme le vôtre.

Ces mots irrémédiables.

Comment réussir sa vie conjugale sans en faire une fosse aux lions.

Ce dernier titre, quoique long, lui avait plu. Il y avait trouvé à la fois un côté positif et une mise en garde. De plus, il y avait un certain rythme dans la phrase, celui des best-sellers américains. Et il n'en doutait pas: ce serait un succès!

Après avoir laissé échapper par inadvertance ce «Je ne sais plus si je t'aime», Maxime s'était senti écrasé par un poids incoercible. Anna s'était d'abord raidie, puis elle lui avait demandé de répéter ce qu'il venait de dire comme si elle l'avait mal entendu. Et se prenant au jeu, il l'avait répété froidement la regardant dans les yeux. La suite de la scène, il préférerait l'oublier. Un accès de rage. Un affrontement. Elle s'était muée en bête blessée à mort. Il avait bien essayé d'arranger les choses, mais les mots étaient partis pour rester. Il sentait bien qu'il venait, sans l'avoir vraiment désiré, d'ébranler les fondements de leur histoire. Et il le regretta amèrement. C'est seulement une semaine plus tard qu'il put l'approcher pour s'excuser.

– Il n'y a pas d'excuses à faire, lui avait-elle dit. C'est un état de fait auquel j'essaye de m'habituer.

Il l'avait regardée, étonné.

– Mais de quel état de fait parles-tu? Je pensais que tu avais compris que c'était seulement un accès de colère!

Elle s'était contentée de hausser les épaules. Au fond, il sentait bien qu'il l'avait touchée au plus vif.

Est-ce que ça pouvait vraiment durer un couple qui dépendait d'une boîte vocale? Cinq ou six fois, il l'avait rappelée, ce soir.

En vain.

En compagnie de Claude, dans un bistro, ils ont fini par se consoler devant un pichet de sangria et une pissaladière. L'odeur du thym leur a rappelé l'été, la Provence, l'Italie du Sud, la Corse et leurs séjours en lunes de miel successives avec leurs nouvelles compagnes. Diane, ou Anna, ou Manon, ou Sophie. Il y avait bien des années de cela. Manon était partie depuis avec un touriste hollandais et vivait l'été sur une péniche de luxe; Diane était en Argentine et ne donnait plus signe de vie; Anna avait pris ses distances; Sophie s'était mariée.

Qu'avaient-ils fait de si dramatique à leurs femmes pour les faire fuir ainsi? Aucun des deux ne comprenait. À Claude, Manon avait dit qu'il s'était trompé de femme. Et Maxime, lui, se reprochait de s'être trompé de mots.

2

Ce matin, Anna s'est réveillée plus tard que de coutume. Elle s'en veut un peu. C'est aujourd'hui qu'elle met la dernière main à son projet. Elle tire les rideaux. Un rayon de soleil effleure la joue d'Élise. Sur un socle maintenant raccourci, la sculpture prend un élan lyrique. Il a suffi de sept centimètres de moins pour lui donner une apparence plus réaliste.

Pendant le temps d'infusion du café grec, elle observe la plus grande des sculptures. La douleur, elle l'a imprimée dans l'inclinaison de la tête et du cou et dans cette ride subtile sur le front. Aucun trait excessif ne déforme le visage. Élise n'a jamais crié, a certifié Martine. Anna a-t-elle eu une sorte de prémonition?

Ainsi le bourreau saisit-il sa victime et paralyse-t-il immédiatement ses cordes vocales. Soit par l'hypnose, soit par la terreur, soit à l'aide d'un sparadrap. Or ni l'autopsie, ni la police n'avaient jamais révélé la moindre trace d'un quelconque bâillon. Il y a des milliers de façons d'assujettir l'autre à son bon plaisir.

Une première appropriation du corps de la victime se fait par une prise inattendue sur toute partie vulnérable: chevelure, estomac, visage, seins. Pour désarmer, rendre vulnérable!

Élise avait-elle seulement songé à l'arme que sont nos doigts: l'écartèlement des narines, l'enfoncement des deux pouces dans les orbites jusqu'à faire hurler et lâcher prise! Est-ce parce qu'elle connaissait l'homme? Croyait-elle pouvoir parvenir à calmer un volcan? Faire raisonner un fou?

Quand elle repense parfois au premier homme de sa vie, Anna ne peut s'empêcher d'éprouver un manque. La tendresse – mais y en avait-il eu vraiment? – s'était muée en maladresse, en précipitation. Le regard adulte qu'elle pose sur cet événement la fait réfléchir sur sa propre naïveté. À dix-huit ans, le comportement viril tient peu compte des préliminaires; voix haletante, gestes brusques, bouche goulue, corps pâmé dans une jouissance narcissique! Il lui était resté en mémoire cette conversation:

– Sais-tu ce qu'on fait aux femmes pour les violer?

À peine remis de son plaisir, il voulait lui en remontrer.

– Non.

Il s'était soulevé légèrement puis brusquement s'était abattu sur elle emprisonnant de ses deux paumes, avant qu'elle n'ait eu le temps de souffler, ses deux seins.

– Tu les tiens comme ça et puis, d'un coup sec, tu les écartes. Pan!

Elle se souvient de la douleur. Brutale. Il lui avait arraché un cri. Puis il avait paru triomphant et protecteur comme s'il voulait s'exclure de cette perversion.

Et Élise comment s'est-elle perçue dans cette mainmise territoriale d'elle-même? Cœur que boit la rage carnassière du vampire, corps de grâce, de brocart, de dentelle, labouré par les griffes de feu et de haine.

Assise à sa table de travail, elle entreprend un dernier travail de rédaction, sa conclusion n'étant pas encore satisfaisante. Jusqu'à midi, elle travaillera.

Côté loisir, il faudrait répondre aux appels pressants de Maxime; prendre rendez-vous avec Martine.

Sur l'agenda, elle a écrit: «20h: me rendre à L'Entrevue?»

Elle hésite. Les mots de Simon sur le répondeur l'ont touchée. Et puis, au téléphone, on ne sait jamais par quel bout commencer.

Depuis longtemps Anna ne pense plus à Simon. Pourtant, elle s'interroge sur certains de ses rêves. Il y a par exemple une obsédante image qui revient souvent: celle du crâne à l'arête noire qu'elle avait entrevu chez lui.

Les rêves ne sont-ils pas les poèmes de l'inconscient?

3

«Un happening du désespoir», avait-elle dit à Auguste Roy. Projet ambitieux, sinon prétentieux. Les faits réels ne font pas l'œuvre et ses sculptures sauraient-elles dépasser la vulgaire narration?

Berri-Uqam. Deux couples montent, s'installent non loin d'elle et troublent toute l'atmosphère. Ils gesticulent, parlent bruyamment. C'est inusité. Les passagers ont droit à une véritable scène de ménage à quatre. Crise de larmes, accusation, menaces, scène de jalousie, engueulades. Une des jeunes femmes tient un enfant qu'elle nourrit au sein et menace de se jeter sur les rails avec lui. Troublés, les gens se regardent. La jeune femme et son bébé pleurent. Un rugissement s'élève. C'est son compagnon qui lui enjoint l'ordre de se taire. Avec violence.

Anna le reconnaît soudain. C'est un étudiant qui donne fréquemment des prestations talentueuses entre les cours. «Théâtre de rue» dit-on. Pour percer le mur de l'indifférence.

La querelle reprend de plus belle et deux femmes, deux passagères se sont rapprochées du groupe et tentent d'intervenir. Un homme en colère les apostrophe. À la station suivante, il descend et change de voiture. Tout d'abord, on ne sait pas qui est avec qui, puis peu à peu, les forces s'ordonnent. La jeune femme qui allaite s'est assise et converse avec son public. Somme toute, leur performance a réussi. Ils ont tant et si bien intégré leur sujet qu'ils en sont venus à représenter l'essentiel. Anna les envie presque.

L'objectif, lui avait dit le maître vitrier, c'est la distance qu'il faut mettre avec son sujet. Lui-même parlait d'Élise avec une distance certaine. Et pendant qu'ils conversaient, il s'était produit quelque chose d'extraordinaire. Un soleil ravageur pénétrant dans l'atelier avait mis en contraste des bleus, des rouges, et des jaunes d'une violente intensité. C'est à ce moment qu'elle l'avait reconnu, dans la gerbe de lumière, à droite, côté ouest du grand vitrail, le profil lumineux. Celui d'Élise. Tournée vers l'au-delà, tenant une lyre, celle d'Orphée peut-être.

«Oui, avait-il reconnu, c'est bien elle. Je voulais, à l'époque, représenter une martyre, faire une pièce sacrée; mais la valeur mythologique a pris le dessus.»

Sa rencontre avec Auguste Roy avait été cruciale.

Peindre Élise jusqu'à ce que tu ne voies plus Élise, jusqu'à ce que tu aies perdu Élise, qu'il ne reste plus rien qu'un mouvement, un désir, une fixation, une trame. Peindre, écrire, sculpter pour ne voir que l'ombre de l'ombre, le signe immuable, le sens. Le dernier battement de cœur. La donner à voir ou à écouter.

La rendre vivante et l'enfermer pourtant dans sa mort. C'est tout le paradoxe, avait dit le maître vitrier.

4

Fin mai. Rue St-Laurent. Simon accélère le pas. Il y a foule sur les trottoirs et partout devant les restaurants et les boutiques, des gens se pressent, se bousculent, sourient. L'air doux de ce printemps tardif a permis aux femmes de dénuder leurs jambes. Simon apprécie. Il lui semble, mais combien de fois lui a-t-il semblé, reconnaître les jambes longues et fuselées d'Anna. Elle est peut-être, cette fois-ci, dans la foule, ou derrière lui. Il lui a souvent téléphoné pour écouter encore sa voix, celle du répondeur. Il connaît par cœur son message.

Quelle serait son attitude s'il la voyait, là, soudainement devant lui? Il a inventé toutes sortes de scénarios.

Le scénario idéal de la rencontre existe-t-il? Si le hasard s'en mêlait, où pourrait-elle bien avoir lieu? À L'Entrevue, par exemple. Il la surprendrait au coin du bar ou en train de choisir un disque sur le vieux juke-box. Le chercherait-elle de ses yeux légèrement inquiets? Il pourrait l'apercevoir faisant la queue devant un cinéma. Maxime serait peut-être avec elle. Il leur parlerait de son film et les inviterait le soir chez lui. Il pourrait à la rigueur lui faire parvenir la première partie du film sur une bande vidéo. Mais comment? Par qui? Aux Beaux-Arts? À L'Entrevue? Si elle y allait quelquefois! Il aurait tant payé pour connaître sa réaction. Le fuyait-elle? Ce serait trop beau, se dit-il. L'indifférence ou le manque d'intérêt seraient plus plausibles.

Au studio 15 où il va rejoindre son équipe de tournage, on doit projeter la scène finale et la soumettre à une critique rigoureuse.

L'équipe est déjà en place et aussitôt que Simon pénètre dans la salle, l'obscurité se fait. Sur l'écran, on voit défiler très rapidement quelques séquences, puis apparaissent les dernières images.

Pierre, le fils de Marina, est dans une cabine téléphonique. Pendant qu'il parle, la caméra s'éloigne. Son interlocuteur occupe l'autre moitié de l'écran. On le voit, assis à son bureau et tournant le dos à la caméra. On reconnaît Peter. Certains gestes de Pierre sont repris, comme par mimétisme, par Peter et vice versa. Au moment où Peter se retourne très lentement vers la caméra, c'est Pierre qui tourne le dos. On voit alors apparaître le visage de Peter. Trait pour trait, il est la réplique vieillie de Pierre. Son visage s'éclaire soudainement; il sourit...

Alors qu'ils parlent, la caméra fixe, au-delà du bureau, une sculpture tandis que l'avant-plan et les deux personnages restent flous.

– Coupez, dit Simon. C'est bon. Nous avançons!

5

«Oui, avait affirmé Olivier Sylvestre, c'est une chaconne. La chaconne possède un caractère grave et Élise, je m'en souviens, désirait l'intégrer dans une suite de danses d'allure plus vive comme le rigodon ou la polonaise.»

Il en avait reconnu très vite le thème et avait sorti un vieil enregistrement où étaient consignées d'autres petites œuvres.

«Voilà. Vous en avez ici la preuve.» Il lui avait alors fait entendre une danse mélancolique qu'il ponctuait en faisant claquer ses doigts. «C'est une chaconne à deux temps», et il s'était mis à la danser légèrement.

«Maintenant, écoutez le même mouvement remanié. Goûtez la différence. Appréciez. C'est la perfection-Élise. L'enfant prodige!»

Arpentant la pièce, il s'était émerveillé à voix haute, criant au miracle. Son enthousiasme avait pris l'allure d'un drame.

Seule chez elle, Anna repensait à tout cela en écoutant l'enregistrement.

Ainsi en ce soir du 4 novembre, Élise vint s'asseoir au salon et, pendant que dehors soufflaient tempête et poudrerie, et que dans la cheminée des bûches crépitaient, alors que pères et mères vaquaient à ce que l'on croit être le devoir de conscience et que chacun à sa façon luttait contre des éléments d'exaspération, Élise avait repris son luth et entrepris de le faire vibrer par son art. Elle semblait tout entière dans son jeu.

Anna croyait l'entendre reprendre le même mouvement, s'acharner sur six ou sept notes puis, revenir en arrière, reprendre la totalité de la phrase. Il lui semblait la voir, le tête légèrement penchée, s'écouter, interroger les sons, le rythme, revoir l'ensemble, prendre du recul, contempler comme elle le faisait elle-même devant l'esquisse, la forme qui prend corps, le modelé à parfaire, l'expression à donner, l'œuvre presque achevée.

6

Intérieur d'un boeing. Des hôtesses sont occupées à desservir. Voix off et nasillarde du pilote.

– Mesdames, Messieurs, dans quelques minutes, nous amorcerons notre descente vers l'aéroport de Mirabel. La météo...

(La voix faiblit de plus en plus pour faire place au bruitage routinier: déplacements, vaisselle, etc. Zoom lent de la caméra vers un jeune homme occupé à boucler sa ceinture: Pierre. En voix off, on entend son monologue intérieur.)

«Mon enfance est reliée au cordon impérissable d'une tradition séculaire au cœur de laquelle s'est toujours posée la question du bien et du mal. Apparemment la modernité n'a pas changé grand-chose aux lois du destin. Il suffirait, hélas! d'une petite distraction de la tour de contrôle pour qu'à notre droite, le boeing, pourtant assez loin, bute contre le nôtre et nous envoie en l'air – c'est le cas de le dire – en un superbe feu d'artifice. Les trois cents passagers et les membres d'équipage sont suspendus aux fils ténus de la conscience professionnelle d'un technicien ou à toute autre contingence: bris accidentel d'un moteur, erreur de pilotage...

Quel silence s'empare-t-il soudain de tous les passagers et les renvoie-t-il à leurs propres pensées?»

Mouvements arrière très lents de la caméra qui s'arrête sur une prise d'ensemble. Flou.

Caméra au ralenti:

Une adolescente sort d'une baignoire. Les couleurs de toute la séquence sont voilées, douces et de la scène se dégage une atmosphère de poésie. La jeune fille se met à genoux et entreprend de sécher ses longs cheveux blonds. La tête penchée en avant, vers la baignoire, elle les enveloppe d'une serviette. À l'envers, à travers ses jambes, elle fixe le rai de lumière qui apparaît de l'autre côté de la porte fermée quand soudain, elle aperçoit une ombre bouger. Elle se redresse avec effroi. Au ralenti, on voit un homme défoncer violemment la porte. Gros plan sur le visage de l'adolescente. Sa bouche est dilatée, son regard chargé d'angoisse. L'image devient fixe et muette comme une diapositive. Peu à peu vient se substituer la créature qui hurle dans le tableau de

Munch. Mouvement lent de la caméra en travelling arrière pour découvrir le tableau en entier. Noir. Retour sur les passagers toujours en silence et sur les manchettes du *Journal de Montréal*.

Voix off qui reprend:

«Personne ne peut rien nous garantir. Mais voilà, tout se passe bien, semble-t-il. Pour un temps, le destin prend la forme d'une routine aéroportuaire.»

Les hôtesses vont et viennent, vérifient chaque allée, retirent des écouteurs, etc. L'avion perd de plus en plus d'altitude et commence à descendre vers le sol. Tableau aérien de la ville. Les hôtesses se sont assises à leur tour. Attente des passagers. L'avion se trouve maintenant sur la piste d'atterrissage. Fracas des roues qui se posent. Noir.

Bruits de casse et hurlements. Mouvements désordonnés de l'homme et de la jeune fille. Il écrase violemment sa main sous son talon. Phalanges broyées ensanglantées. Il la prend par les cheveux et lui plonge la tête sous l'eau. Elle se débat. Lutte. Giclées d'eau vigoureuses sur le visage de l'homme.

Retour à l'avion. Les passagers se lèvent et lentement débarquent.

Plan d'ensemble de l'aérogare où s'alignent

des files interminables, mais disciplinées. Le jeune homme a sorti son passeport. Il est citoyen grec.

Voix off:

«Le fond des regards, autour de moi, s'est vidé de ses images de mort. La sinistrose conséquente aux vols aériens a fait place au soulagement ou au bonheur des rencontres de l'autre côté de la barrière.»

– Bonne chance Pierre, crie une jeune femme souriante, non loin de lui.

Pierre sourit, fait un salut de la main et la regarde faire des gestes à l'homme qu'elle a repéré dans la foule.

Voix off:

«Sylvie. Vers quel bonheur court-elle? Sera-t-il durable? Qu'en restera-t-il dans quelques années? Et moi? Moi, je suis venu chercher une œuvre d'art sur les traces de l'hiver. Ainsi, c'est dans ce pays aux saisons tranchées, sous les couleurs violentes de la vie et de la mort que se sont joués mon destin et celui de Chloé. Violentée à coups de couteau, au moment même où sa propre sœur foulait la terre québécoise! Je suis né en quelque sorte de sa mort.»

Images de l'aéroport. Pierre est devant un

guichet. La caméra s'éloigne. Prise d'ensemble.

Au bas de l'écran, une date et le lieu. Studio 15. Puis au milieu, la mention: EXTRAIT N° 2.

Anna fait un arrêt sur l'image et pousse un profond soupir. Elle trouve la scène de violence purement insoutenable et la juge excellente. Bien sûr, elle ne comprend pas tout. Comment s'est introduit l'intrus, qui est au juste Pierre, quel est le propos du film. Elle sait que c'est l'histoire romancée d'Élise et cela la touche infiniment.

Elle prépare sur un plateau un sandwich étagé, commence à y mordre à belles dents. Il y a deux jours qu'elle l'a reçue par la poste, cette cassette vidéo. À l'adresse de l'expéditeur, il y avait un vague nom, *Studio 15, Saint-Sulpice, Montréal*, et elle a pensé tout d'abord qu'il s'agissait d'un envoi de Martine. Déposé sur la table avec d'autres feuillets publicitaires et quelques factures, le petit paquet n'aurait pas été ouvert de sitôt si Martine n'avait infirmé l'envoi. Une fois ouvert, il avait laissé échapper une petite carte de Simon avec quelques mots de sa propre main:

«Dédié à une jeune fille morte.» Et plus bas:

Pourra-t-on jamais reprendre cette conversation interrompue et l'achever à nouveau dans l'extase?

Elle remet la cassette en marche. Elle admire cet art de transposition qu'est la fiction, son pouvoir de vraisemblance, les images puissantes, les contrepoints ponctuant le film et leur tragique intensité puis évidemment l'art avec lequel metteur en scène et scénariste ont œuvré. Elle jubile.

Lorsque prend fin l'extrait, elle s'habille fébrilement et sort.

7

Le ciel est chargé. Un soleil timide risque quelques rayons entre deux nuages. De noir et blanc, le décor des rues bascule dans la couleur. Tiraillement des choses comme des êtres vers de contradictoires lumières. De la ville basse, montent les pics des gratte-ciel, élan de quartz aux nuances de jaspe.

Eduardo Lopez, debout devant la porte protégée par un auvent, reçoit Anna avec son franc sourire. Le bistro fermé pour une semaine se fait faire un lifting printanier. L'Entrevue deviendra L'Entretien. À cause de cette pléthore de conversations qui se croisent dès la tombée de la nuit, le nom ne tient plus debout. «Et puis... et puis, on se recycle. Il faut bien! Que voulez-vous? De la télé, on passe à internet. La clientèle change!»

Intéressant, pense Anna, qui rebrousse chemin, enveloppée de sa cape et qui fait le trajet autobus-métro jusqu'à la place Jacques-Cartier à la recherche du Studio 15, Saint-Sulpice.

«Simon? Simoon on... Je crois qu'il vient de partir! Oui,... bien sûr vous pouvez attendre. Il y a même des projections en cours. Au bout du couloir, la porte à gauche.»

Studio 15. Petite salle, intime, plongée dans le noir. Projection d'un court métrage. Des sièges en bois. Des cinéastes discutent. Quand ils se taisent, le silence est impressionnant. Anna, intimidée, s'en va. Elle croyait trouver des décors en carton-pâte, une équipe de tournage, des gens connus. Pierre et Simon tournant. Il doit bien y avoir un bureau, une autre porte? Elle cherche, fait le tour, revient sur ses pas. Alors?... Alors, rien. Elle attendra l'ouverture de L'Entretien.

Un peu plus loin, dans la rue, une cabine téléphonique. Elle compose le numéro de Simon. Pas de réponse. «Tiens, se dit-elle, il n'a pas de répondeur.»

Elle retourne sur ses pas, désire lui laisser un mot.

– À Simon?... Ben, ça dépend lequel?

– Comment lequel? Il y a une minute, il y en avait juste un!

– Vous inquiétez pas. L'autre est nouveau. Il ne sait pas tout.

– L'autre Simon?

– Non... L'autre, c'est mon jumeau. Alors?... Lequel?

Geste évasif d'Anna.

– Le réalisateur ou le traducteur?
– Le réalisateur. Est-ce qu'il est ici?
– Alors, là, ça m'étonnerait. Il vient de prendre l'avion!

Anna s'en va. Dans la ville, il n'y a plus de Simon! Il est parti pour tourner une scène. Ailleurs. Et pendant que des passants la dévisagent et jaugent en elle la femme, ses traits, sa sveltesse, son regard farouche, elle se perd dans les rues, sans but, la cassette toujours dans la main. Le cœur flambé, elle marche sans rien voir, sans rien entendre, sa silhouette sombre se découpant sur le gris des vieilles bâtisses. Une rencontre sans conséquence, avait-elle cru. Un homme séduisant mais qui n'allait que passer. Sans l'ombre d'un doute, entre lui et Maxime, elle avait cru pouvoir départager les choses. L'intimité, les habitudes, les règles de la cohabitation, tout ce qui constituait un passé commun, une commune parenté d'intérêts, une même orientation d'objectifs, un égal souci d'esthétisme, tout ce qui était censé échapper à la grogne quotidienne, ne constituait-il pas pour elle un ancrage contre lequel viendraient disparaître les vagues remous du désir? Maintenant, elle devait se l'avouer, cet homme ne la laissait pas indifférente. L'avait-elle d'ailleurs vraiment été? Et cette rapidité avec laquelle elle l'avait fui en cette nuit de novembre n'était-elle pas symptomatique?

– Pourquoi? lui avait-il demandé. Il semblait méfiant. Pourquoi cette rapidité? C'est à cause de moi?

– Mais non. Je désire partir, tout simplement. Il fait noir et... Et puis, il y a toujours un moment où il faut partir.

Seulement tout est dans la façon de faire. Et plus tard en y repensant, elle avait senti sous cette hâte fruste, une confusion réelle entre sincérité et méfiance de soi. Car elle était partie exactement comme les amants pressés, après une visite à leur maîtresse, le temps d'un coït bref et enflammé qui les prend précipitamment entre deux conférences, entre une course et la fin du magasinage du jeudi soir après lequel il faut rejoindre l'épouse trompée. Elle avait eu cette même façon. Insultante et débile. Sans laisser d'adresse. Sans rien demander.

Elle avait cru pouvoir accorder deux parts d'elle-même et contourner avec soin cette peur de se déplaire. Mais elle avait pris le risque de donner d'elle l'image d'une femme désinvolte. Et cela lui déplaisait.

À sa droite, un bateau quitte lentement le port de Montréal faisant mugir sa sirène. Anna s'accoude au parapet pour le regarder. Debout, à la poupe du paquebot, des passagers regardent, immobiles, les gratte-ciel s'éloigner avant de se noyer dans les eaux du fleuve. Moment de grâce où s'achève pour eux un séjour, une manière d'être, un présent provisoire qu'ils contemplent avec l'intensité de ceux qui espèrent voir surgir de cette dilution un autre commencement. À moins que, par inadvertance, on n'ait oublié une part de soi dans ces pérégrinations!

Anna sent qu'elle ne contrôle plus sa propre histoire et elle en éprouve du désarroi. Maxime. Il avait dû comprendre l'inévitable. Comment le prendrait-il? Qu'adviendra-t-il d'eux?

Et Simon? L'aborder sera-t-il facile? Elle lui parlerait certainement du scénario. Elle lui dirait qu'il savait dire l'émotion, donner à lire le désespoir, qu'il avait su trouver le fil qui menait au passage secret de l'autre, au mystère trop longtemps tapi dans l'ombre. Elle lui dirait aussi qu'elle y avait reconnu son propre combat. Qu'elle y avait trouvé un réconfort parce que ce moyen de communication portait en lui une magie, celle du spectacle et de l'instantané et qu'il poussait loin ses impressionnantes images, qu'un spectateur y était plongé presque malgré lui dans le mal-être de l'autre. Qu'en quelque sorte, cette obligation de participer au malheur d'autrui, aux plus sensibles de ses frémissements, n'avait jamais été aussi bien atteinte qu'au cinéma.

Un vol de goélands, des dizaines, suivent le bateau et par leurs cris le saluent.

8

En cet instant précis où il ressort du Studio 15, intolérant et furieux contre le réceptionniste, Simon n'a qu'une idée en tête: retrouver Anna. Il prend la direction du vieux port et martèle de son pas rapide les vieux pavés de la place Jacques-Cartier. Il regarde sans s'arrêter dans les cafés environnants, tourne dans la rue Saint-Vincent désertée en cette saison, remonte la rue Saint-Paul. Quelques pâles rayons de soleil attirent des touristes autour de la statue de Maisonneuve. Rejoindre Anna venue enfin le voir, lui parler, lui donne des ailes.

Il pourrait l'emmener dans un bistro tranquille et la regarder à portée de main, à portée de bras, il lui dirait qu'il se sent perplexe, désaxé comme si son absence avait fait vibrer aux tréfonds de lui-même une corde inconnue. Maintenant qu'elles s'étaient mises en marche, les ondes du tumulte, de la folie ou de la passion allaient le porter loin de lui-même vers des balises inconnues. Et alors, décontenancé, sans repères familiers, il deviendrait cet homme nu que la civilisation et la culture bétonnent jusqu'à en gommer le patron original.

Simon s'approche du vieux port où un cargo aux couleurs du Portugal mugit et fait marche arrière. Mais Anna n'est nulle part. Il se prépare à quitter ce centre touristique quand il aperçoit, au-delà de la place, près de l'hôtel de ville, une silhouette qui ressemble à la sienne. C'est elle. Il en est sûr. Elle se tient devant le fleuve. Il se met à courir.

Ce n'est qu'un bref instant d'illusion jubilatoire. Anna a disparu. Avalée par l'espace. Ou réellement absente. Alors des mots se pressent dans la tête de Simon. Il fait de longues phrases. Il aimerait lui dire tant de choses. Qu'un siècle déjà s'est écoulé depuis leur dernière rencontre. Que pourtant c'était encore hier. Que cette constance qu'il met à chercher à la revoir est pour lui un véritable mystère, peut-être le début d'un nouveau scénario plus labyrinthique, celui-là, où, main dans la main, ils iraient se perdre pour mieux s'y retrouver.

Il ne reste plus sur l'eau qu'un vol de goélands emportant avec lui des parcelles bruyantes de lumière.

9

De motifs en confidences, Anna a fini par reconstituer la dernière tranche de la vie d'Élise. Le soir du 4 novembre, il y eut six ou sept ou dix circonstances fatales et n'eût été leur urgence, n'eût été deux ou trois coïncidences relevant d'un hasard machiavélique, la vie d'Élise aurait été épargnée.

Ainsi se préparent les drames modernes à l'instar des tragédies antiques. Les passions contrariées acheminaient alors les personnages vers la catastrophe finale. Ici, subtilement, s'était préparé l'instant funèbre.

Ayant posé l'esquisse sur la table de travail, Anna se penche sur les détails de son œuvre. Depuis que son projet est accepté, elle se sent comme libérée. La réalisation de *Mise à mort* dont Martine avait dit que ce serait très violent, lui a demandé beaucoup d'énergie. Émotivement, cela n'a pas été facile. La mise en forme du globe oculaire, les lames qui le transpercent, le bras muni de scalpels, la recherche de cônes d'ombre pour accentuer le deuil, tout contribue à représenter la fragilité persécutée.

Maintenant qu'elle a fait le tour du parcours d'Élise, et depuis que le plus dur est accompli, il lui semble que la forme qui siérait le mieux à la dernière œuvre est la spirale ou mieux le tourbillon ou la conque d'un triton. Et ce motif de la spirale, elle pourrait l'intégrer au thème de la première sculpture. Reprendre les mêmes lignes, mais donner au luth qui en est le socle une torsion, un mouvement indéfinissable, une sorte de cône spiralé. Suggéré. *Regard d'Élise*, serait le titre.

Elle se lève, prend du recul, observe. Esquisses, sculptures, formes, photographies d'Élise concentrées dans cet espace restreint font battre le cœur de l'atelier et soudain Anna ne sait plus si de ses outils, elle redonne vie à Élise ou si c'est Élise qui s'anime et lui redonne un sens à la vie.

Le passé ne revient jamais, dit-on. Et pourtant, il est ici partout. Vivant. En elle et autour d'elle. La conception linéaire du temps est uniquement façon de voir. Simplification. Réduction de quelque chose qui nous échappe, qui tourne en rond. Cercle ou variante de cercle, spirale en mouvement.

Même si, de son regard perçant, Anna continue de comparer formes et modelés, même si rassemblant ses dessins, elle rectifie des lignes, adoucit des angles, elle tente de remonter le cours du temps. Elle voit ce que seul un film qu'on rembobine donne à voir. Magie de l'art, merveille de l'imagination où l'impossible au possible se joint. Folie du temps qui se substitue à toute logique puisqu'on peut voir une vie se dérouler à l'envers, un homme courir à reculons, sûr de lui comme un funambule, des criminels rengainer leur arme, un échafaud fonctionner à rebours, une tête tranchée récupérer sa place, une vie renaître de ses cendres.

Et Anna s'assure puisqu'il est permis de délirer que la mort d'Élise perd du terrain.

Elle voit successivement les débris de son cerveau réintégrer le crâne; l'œil bleu pousser, hors de la plaie, le couteau que la main force à expulser. C'est au tour de la caisse de résonance du luth de reprendre sa véritable forme; puis Élise s'anime et l'on voit alors le meurtrier la frapper, la frapper avec une violence insoutenable.

Sortie des ténèbres du corps d'Élise!

Elle voit encore Eduardo Lopez, debout sur son escabeau, décrocher l'enseigne portant les mots BRASSERIE, bienvenue aux dames, et la remplacer par l'ancienne où s'étale en lettres fluorescentes le mot TAVERNE. Il tourne le dos à son bistro, regarde quelque chose devant lui et hausse les épaules: il vient de voir passer des femmes arborant le tchador. Il disparaît à l'intérieur du bistro.

Et que voit-elle encore?

Le cinquantenaire des Corbin va retrouver son faste. Partis en toute hâte, les voilà qui ressortent de la camionnette d'Aline et que tout peut recommencer. Et voilà Élise sortant d'un tableau de Botticelli que vient de retrouver Hugo. Des invités partis ressurgissent, et Alain, le fils aîné, désappointé, nerveux, refranchit le seuil en claquant la porte. Il a un compte à régler avec sa sœur!

Pendant qu'Élise joue un extrait d'une suite en ré mineur de Robert de Visée, un petit secrétaire en bois des îles, précieux vestige du XVIIIe siècle, est le centre d'une querelle entre frère et sœur convoitant le même objet. Plus tard, il dira ne pas avoir été tenu au courant du départ de ses parents, ce jour-là. Était-ce mauvaise foi, mauvaise humeur ou mauvaise communication? Peut-être s'agissait-il de ces conversations tenues par répondeur interposé, perdues au milieu d'autres communications destinées à d'autres membres de la famille et aucun d'eux, les uns comptant sur les autres, n'avait eu l'idée de la transmettre ou même de l'archiver?

Et encore Élise, en tenue d'époque, qui donne un concert de musique ancienne et les rares piétons surprennent, derrière le rideau de neige, l'atmosphère festive d'un manoir d'autrefois.

Traiteurs et visiteurs reprennent, à pleines mains, leurs présents, leur livraison et s'engouffrent hâtivement dans les voitures, alors que les Corbin, prêts à recevoir, referment leur porte et rentrent dans la paix de leur logis.

Chaque personnage est revenu à la case départ et attend. Mais attend quoi? Chacun d'eux songe à travers soi. Au dehors, une tapisserie somptueuse. L'automne. Aucune brise n'est encore venue détruire cet instant. Élise est penchée sur son luth. Son regard pétille. Il y a dans l'air une joie timide, prometteuse comme un bourgeon.

Il faut alors fixer cet instant et l'épingler. Dans sa chair, dans sa mémoire et au-delà, dans tout ce qui nous échappe et qui survivra après nous.

10

Ils se sont donné rendez-vous au carré Saint-Louis. Simon fut heureux d'entendre sa voix et non celle du répondeur. Elle s'était mise à le vouvoyer comme on vouvoie un étranger, un voisin, un commis de banque, un piéton qui demande son chemin. Sans doute coucher ensemble une fois ne brise-t-il pas tout à fait l'intimité. Mais la nudité des corps n'est-elle pas une porte ouverte sur l'ego? Ou bien alors la modernité est-elle en train de banaliser le langage sexuel?

Seul, devant un café, au bar Le Cherrier, Simon guette de l'autre côté de la verrière le parc où quelques *pushers* assis, attendent les clients du soir.

Elle aussi semblait troublée.

«Simon?» a-t-elle dit.

C'était la première fois qu'elle prononçait son nom. Dites dans une autre tonalité, les deux syllabes n'étaient plus les mêmes. Il y avait eu dans sa voix interphonique deux notes sensuelles qui l'avaient troublé. Puis un silence où il avait senti son souffle, une caresse, un courant qui passait entre eux. Elle avait dit encore: «Bonjour Simon!» Instantanément, il avait revu la jeune femme à la silhouette sombre, au profil typé, aux gestes sûrs.

Puis, très vite, il s'était repris et lui avait expliqué le malentendu du Studio 15. Non, il ne partait pas encore et il désirait la revoir.

Comme elle ne disait rien, Simon avait cru un instant qu'elle n'avait pas aimé l'envoi de la cassette ou le contenu ou les deux à la fois. C'est lui qui en avait parlé le premier, n'osant imaginer, à cause du trac qui le prenait, la réponse qu'elle allait lui donner. Elle l'avait interrompu pour lui dire en bafouillant comme si soudain elle craignait de le blesser:

«J'ai aimé... comment vous dire... énormément! Heu... oui, énormément. Mais à vrai dire, ce n'est pas le mot exact pour exprimer ce que j'ai ressenti. C'est formidable et ingénieux d'avoir transposé le meurtre et le viol d'Élise en fiction... L'idée me plaît... Oui. Infiniment... la facture aussi, la façon de le dire... Je ne pensais pas que... Enfin, une fiction de cette importance... qui croirait que seulement quelques mots échangés suffiraient!»

Elle avait dit *infiniment*. Il aimait ce superlatif! Il en était flatté. Que l'histoire d'Élise soit portée à l'écran semblait la réjouir. Et pourtant elle n'en avait vu que des extraits: un récit au passé surcomposé que trois niveaux de narration rendaient difficile à suivre. Du scénario lui-même, de son propos, de son aboutissement, des idées qu'il véhiculait, il ne lui en avait pas encore parlé.

C'est encore trop tôt pour aller à la rencontre d'Anna. Simon a demandé, avec un espresso, un cognac qu'il verse dans son café. Il se sent troublé comme un collégien devant une copie d'examen. Ils s'étaient quittés, il y a sept mois, un soir d'hiver impétueux et le temps qui s'était pris dans les cristaux de neige ne l'avait pas empêché, lui, Simon, de revivre ce passé au présent.

Comment allaient-ils se retrouver? Se comporteraient-ils comme deux inconnus? Deux amis de longue date? Deux étrangers ayant cédé à un caprice passager? Ou comme deux adultes, deux amants que le désir, la vie, la distance avaient mûris?

La silhouette noire, mouvante, luttant contre le vent et la tourmente de ce 4 novembre, Simon l'avait emportée avec lui dans son vertige.

Chaque histoire d'amour s'invente un labyrinthe dans lequel les nuits et les jours sont d'infini et où les amants, emportés dans leurs turbulences, vivent d'imaginaire en quatrième dimension et d'horizons recomposés.

Toutes les histoires d'amour de Simon sont sur l'écran de sa mémoire. Elles se ressemblent à quelques différences près. C'est le même parcours sous différentes intensités. Des débuts faits d'exacerbations pressenties dans les remous du regard, la retenue du geste, la subtilité des messages du corps, ce qui modèle l'autre et le rend, par sa différence, à la fois vulnérable et singulier. Il connaît par cœur les détours, les feintes et embûches et les exaspérants reculs. Et puis vient toujours un moment de grâce, une attente, un palier d'ambiguïtés et d'angoisse qui va précéder la connaissance du corps de l'autre. Ce moment de grâce, c'est l'instant avant l'euphorie; il y a alors comme un décompte qui se fait et au moment du décollage, une explosion de forces accumulées par des passions différées.

Il connaît toutes ces étapes. Il est, ce qu'on appelle avec beaucoup de prétention, un homme expérimenté. Les revirements de la vie, il se croit capable de les voir venir et d'en prévenir les coups.

Mais en ce qui a trait à Anna, c'est différent, les repères n'étant plus les mêmes. N'ont-ils pas commencé par la fin? Une seule nuit de brume et de froid les a vus instantanément flotter au-dessus des paysages blancs de la ville. Sans préparatifs, sans préambule, sans étapes. Et Simon a cru, un instant, à la joie de ces couples de Chagall qui traversent sereinement le ciel comme si l'apesanteur était le propre de l'homme heureux.

Il l'a vue venir de loin. L'un vers l'autre, tous les deux s'avancent, Simon marchant d'abord parallèlement à elle puis traversant la rue Saint-Denis. Il ne fait pas les gestes propres aux personnages de ses films lors de retrouvailles tant attendues. Ni l'un ni l'autre n'essaye de courir. Ni l'un ni l'autre n'ouvre les bras. Mais Simon la regarde, captif. Ils se sourient seulement. Les cheveux longs ramenés d'un seul côté de son visage et la toilette claire qu'elle porte ce jour-là la transforment. Et Simon pense qu'elle est le printemps.

Lui est en complet bleu marine, et une cravate large, à rayures bleues et rouges, lui donne l'allure d'un collégien. Ce charme juvénile le transforme. Elle lui sourit, lui tend la main qu'il prend entre les siennes.

Ce mouvement discret du désir la fait frémir.

Ils ont passé la nuit d'un bistro à l'autre, timides comme deux adolescents. Le corps interdit, le regard brûlant, ils ont observé leurs mouvements, lu l'imperceptible frémissement de leurs lèvres tandis qu'ils parlaient, exposaient leurs idées, évoquaient leurs travaux. Ils n'ont vu et entendu qu'eux-mêmes.

Et Simon s'aperçoit qu'il possède deux versions d'une même femme. Le réel et l'apparence; la grâce et l'assurance, la subtilité et l'équilibre.

Où se situe la véritable Anna? Il voudrait retrouver avec sa portion dévorante, celle de l'amour physique, intense, brûlant, l'autre Anna qu'il connaît peu et, de la passion, parvenir avec elle à la tendresse.

La tendresse, c'est cette courbe infinie sur l'échelle temporelle sur laquelle vient s'éteindre la passion, point explosif, étoile filante dévorée par son propre feu.

11

Dans les bras de Simon, Anna songe. Elle passe en revue les dernières semaines de folle intensité. Et là, dans cette aérogare, alors que dans quelques instants il sera parti, elle se rend compte que, sans crier gare, Simon occupe déjà la première place. Quel soudain revirement dans sa vie! Quelle plénitude après le vide! N'était-ce pas pourtant la même chose qui s'était produite avec Maxime?

Autour d'eux des couples s'embrassent une dernière fois. Déjà l'appel du départ se fait pressant et la tension monte d'un cran. Leurs mains se cherchent. Un soleil brûlant passe de l'un à l'autre. L'imagination d'Anna s'emballe. Un accident, une explosion, tout peut arriver. Elle aimerait partager ses craintes avec lui, mais elle ne dit rien. Puis, c'est la séparation et toute la tendresse du monde dans la main de Simon. «Pour quelques mois, lui a dit Simon. Deux ou trois au plus. Le temps de donner forme à mon projet.» Après la Grèce, il partirait pour l'Afrique, le Maghreb, avec un nouveau scénario en tête.

Anna qui regagne à pas lents le petit café où l'attend Martine se sent tout à coup seule au milieu de la foule, des enfants qui crient, courent, se bousculent et rient. Il lui faudra maintenant prendre soin de décanter les choses, de faire le point avec Maxime, d'y voir plus clair, de se ressaisir. Un amour ne chasse pas toujours l'autre et il lui importe de ne pas tomber dans un éternel recommencement. Le désir du renouveau n'est-il qu'un flamboyant diable au corps, et la conquête, l'illusoire tentative de saisir enfin l'insaisissable?

– Tu n'oublieras pas demain l'exposition de Maxime? lui rappelle Martine.

Non, elle n'avait rien oublié, mais elle n'irait pas. Il y a un mois, il était venu la voir inopinément à Montréal, à la galerie Rodin où elle travaille. Elle s'était montrée plus distante et, prétextant son travail et sa collaboration au scénario de Simon, elle avait encore une fois paru très réticente quant à leur voyage en Grèce.

«Tu avais pourtant dit qu'en septembre peut-être...»

Elle lui avait tourné le dos pour s'occuper d'une cliente. Maxime avait eu un geste de dépit. Elle lui avait répondu qu'elle était désolée, qu'elle ne pouvait fixer de date, que ce n'était vraiment pas le moment, qu'il fallait le remettre, ce voyage!

«Aux calendes grecques?» avait-il demandé.

Debout devant elle, il l'avait fixée presque furieux. Dans la galerie, quelques clients parcouraient les cimaises, admiraient des sculptures, en faisaient le tour. Et Anna n'avait pas répondu. Pour couper court, elle s'était dirigée vers un couple. Maxime avait compris et, un peu plus tard, il avait ajouté, très bas, d'un ton contenu:

«Alors, tu es amoureuse de cet homme?»

Anna s'était retournée et lui faisant face, elle s'était mise alors à discourir sur l'attrait du renouveau propre à tout le monde; d'ailleurs lui-même ne se recyclait-il pas sans cesse en amour? Sur l'autonomie, sur l'inattendu. Sur leur complicité, leur fragilité et sur l'évolution propre à chacun.

– Tout ce que tu dis est sensé, mais il y a aussi des liens indestructibles. Une passion dévorante s'éteint comme un feu follet. L'appel des sirènes! Tu te laisses prendre au vide!

– Ai-je dit que je vivais une passion?

– Une passion, lui avait-il dit sans s'interrompre, c'est une machine infernale et aveugle. Au fond, c'est une défaite complète de soi. C'est pire qu'un désir brut. Au moins, celui-ci tient de l'instinct. Ta passion, elle, elle naît de l'illusion!

Il avait monté le ton; Anna, plus pâle,

n'avait pas répliqué.

– Je croyais un peu que, nous deux,... nous vivions... autrement. Que nous avions en commun quelque chose d'unique...

Puis, prenant son imperméable, il avait ajouté:

– J'ai compris. Mais je suis têtu, et je tiendrai bon!... D'ailleurs, tu peux m'appeler quand tu voudras! Salut.

Après son départ, Anna, dans l'arrière-boutique, avait éclaté en sanglots. Elle ne désirait pas gommer le passé. Comment aurait-elle pu?

– Je n'irai pas, dit Anna. Pas cette fois, du moins. Il me faut absolument achever la mise en scène de mes sculptures.

Il y a environ un mois un article paru dans la revue *Art* lui avait valu l'intérêt des médias. Deux grandes chaînes ont manifesté le désir de filmer l'œuvre dans son décor naturel. La première qui diffuse, durant les grandes soirées d'hiver et de printemps, le sport le plus compétitif et le plus violent du pays, lui consacrera un intermède de trois minutes aux nouvelles de dix-huit heures. Un reporter glissera un mot, lui a-t-on dit, sur la créatrice et sur sa motivation. Il rappellera succinctement qu'une jeune musicienne de seize ans avait autrefois perdu la vie d'une façon tragique. La deuxième, une chaîne à vocation culturelle, lui offre une entrevue qui paraîtrait dans trois mois et qui serait intégrée à un documentaire sur la sculpture.

La critique semble adopter son œuvre. Qu'en fera-t-elle du film de Simon? *D'erreurs et de feu* qu'il parachève, paraîtra l'hiver prochain. Ce sera une autre épreuve pour lui et pour elle. Comme si l'histoire d'Élise autour de laquelle s'est nouée sa relation avec Simon, n'en finit pas de l'entraîner dans le cycle tourmenté de sa vie.

12

Octobre déjà. Fraîcheur saisissante de ce petit matin. L'automne a pris les arbres par surprise. Du haut du Mont-Royal, tombent, le long des sentiers bordés d'érables, des coulées d'ambre dans le paysage urbain.

Très tôt, en salopette de travail et munie d'une pelle, Anna s'affaire dans le jardin de la rue du Moulin. Elle cherche la meilleure situation possible pour la mise en relief de ses sculptures. Feuillage, angles, buisson, clair-obscur, arrière-plan, tout doit être mis à contribution. Elle a toute la matinée pour en décider. Cette après-midi, tout le système de faisceaux lumineux sera installé par Simon et son éclairagiste. Et pendant qu'elle passe au crible chaque coin, elle ne peut s'empêcher de penser à toutes les étapes de l'enquête qu'elle a menée par petites touches, à tous ces détails infimes qui lui ont révélé, çà et là, un éclairage inconnu de la personnalité des uns et des autres et de leur rapport avec Élise. Le jour est enfin venu! se dit-elle.

Cette nuit d'octobre, à l'heure où, en force, resurgiront les affres d'autrefois, rien ne rentrera plus dans l'ordre du temps. Rien ne ressemblera moins au morne souvenir que cette cérémonie dont Anna a voulu faire un spectacle. Ténèbres, deuil, confusion des ombres et des signes, regrets, amnésie deviendront la proie de l'empire des sons et lumières. Et comme s'animant, au jardin d'Élise, les quatre sculptures glorifieront le talent et la grâce retrouvés alors que, sur le perron, une musicienne blonde et jeune en habit d'apparat jouera, au moyen du luth restauré, l'œuvre même d'Élise. Sur les conseils d'Olivier Sylvestre, elle y intégrera aussi du Vivaldi, du Thomas Robinson et du John Dowland. Le bruissement en harmonique des arbres aux touches safranées et vieil or, courtoisie de l'automne triomphant, ajoutera à cette musique intimiste une perception stéréophonique. Le jeu du luth livrera tantôt le son des clochettes qui se répondent en canon, chant plaintif et tourmenté tout en variations mélodiques des compositeurs anglo-saxons, et tantôt l'harmonie festive de la sonate en la majeur de Vivaldi. Une histoire de mort abjecte qui finit dans l'envoûtement d'une nuit concertante. C'est ainsi qu'elle l'avait voulu.

– Tout cela a-t-il encore vraiment de l'importance? lui avait demandé Ali Radouane.

N'est-ce pas le silence et l'oubli qui apportent la paix?

Or, jamais Anna ne s'était résignée au silence.

– Le malheur ne s'oublie pas, lui avait-elle répliqué. Vous l'avez seulement mis en veilleuse. Il faut aller au fond de tout. Au fond du désespoir, du cauchemar, au fond de toute haine. Avec obstination. Peut-être alors en serons-nous libérés.

Ce qu'elle avait sculpté, elle-même, dans la terre et dans le métal, ce qu'elle avait exprimé de l'essence d'Élise échapperait désormais aux mots inutiles, aux blessures, à la violence entretenue comme un des beaux-arts par la modernité. Son œuvre n'avait rien d'innocent, certes. Elle pensait avoir figé dans la matière l'éternel questionnement de la mise à mort de l'autre, le dépeçage de son être assujetti au plaisir gratuit. Symbolique ou réel. Et cette répression sauvage, elle l'avait représentée dans les instruments de froide chirurgie s'acharnant sur le globe oculaire, l'œil d'Élise, lieu des stigmates de la violence dont on avait, à l'époque du meurtre, si peu fait mention.

Cette Élise-là était hors du temps, échappée des événements, plus vraie que réelle. Elle l'avait créée à partir des émotions qui l'avaient assaillie. Remontant le cours de la mort, elle avait interrogé le malheur même.

Elle avait réfléchi, hésité, comparé, approfondi; elle avait lutté contre l'angoisse de n'être jamais que des pas anonymes disparaissant à la première pluie. C'est de ce voyage initiatique qu'étaient nés les quatre visages d'Élise. Désormais, l'art la restituait dans sa part d'éternité.

Cette nuit, ils seront tous là, tous ceux qui l'ont accompagnée dans sa démarche. Simon filmera l'événement. «Une façon comme une autre de sabler le champagne!» lui a-t-il lancé. Elle sait que ce qu'il en tirera ne sera pas une banale description. Le traitement de l'image en fera un document artistique. Gros plans et flous successifs, soutenus par une musique baroque, intromission de portraits d'autrefois, qu'un savant montage animera, sculptures en mouvement défiant l'incarcération de la forme par la matière. Ce sera redonner vie à ce qui fut.

À l'idée de revoir Élise surgir de la pierre, danser, jouer du luth, sourire, se passer une main dans les cheveux ou courir et appeler quelqu'un, Anna sourit. Elle s'empare de la plus grande de ses sculptures, *Jeune fille au luth*, celle que Martine admire le plus et la place sur son socle, sous le tilleul. Le soleil qui pénètre entre les branches plisse ombre et lumière sur les neuf cordes du luth. Un téléphone sonne quelque part. Son nom résonne dans l'air cristallin. C'est Ali Radouane qui l'interpelle par la fenêtre ouverte. Simon vient d'appeler. Il sera là dans quelques instants. Un éclair passe dans les yeux d'Anna.

Au moyen de sa pelle, elle dépose alors du sable dans un rectangle délimité, découpe une énorme boîte de carton, met à nu la deuxième sculpture, *En soi*, s'en saisit avec précaution et la dépose à l'endroit prévu. C'est cette composition en terre cuite que secrètement elle préfère. C'est une œuvre lisse, épurée, au mouvement sobre. Le rêve disparu, elle l'a matérialisé dans la courbe du cou, dans l'abandon de la main. D'un geste habile, elle l'oriente vers la première sculpture de façon à former l'ouverture d'un cercle que viendront fermer les deux dernières œuvres. Puis reculant de quelques mètres, elle embrasse d'un coup d'œil l'ensemble, réfléchit un long moment, écoute la brise frémir dans l'or des arbres comme si elle cherchait une approbation, puis, satisfaite, oubliant toute la flamboyante manipulation qu'elle avait découverte dans sa quête de la réalité, le regard préoccupé par sa vision de l'espace, elle reprend ses outils et entreprend de dégager de sa caisse le troisième élément. Derrière elle, la grille s'est ouverte. L'oreille aux aguets, elle écoute. Au loin, la rumeur de la ville et dans l'allée, comme un battement précipité, les pas de Simon.

TABLE DES MATIÈRES

Autres ouvrages de Andrée Dahan

Le printemps peut attendre, Quinze, Montréal, 1985.

L'Exil aux portes du paradis, Québec-Amérique, Montréal, 1993, Prix du signet d'or 1994.

Catalogue des Éditions TROIS

Alonzo, Anne-Marie
La vitesse du regard – Autour de quatre tableaux de Louise Robert, essai-fiction, 1990.
Galia qu'elle nommait amour, conte, 1992.
Geste, fiction, postface de Denise Desautels, 1997, réédition.
Veille, fiction, postface de Hugues Corriveau, 2000, réédition.
...et la nuit, poésie, 2001.

Alonzo, Anne-Marie et Denise Desautels
Lettres à Cassandre, postface de Louise Dupré, 1994.

Alonzo, Anne-Marie et Alain Laframboise
French Conversation, poésie, collages, 1986.

Alonzo, Anne-Marie, Denise Desautels et Raymonde April
Nous en reparlerons sans doute, poésie, photographies, 1986.

Amyot, Geneviève
Corneille et Compagnie, 1: *La grosse famille*, roman jeunesse, 2001.
Corneille et Compagnie, 2: *Chiots recherchés*, roman jeunesse, 2002.

Anne Claire
Le pied de Sappho, conte érotique, 1996.
Tchador, roman, postface de Marie-Claire Blais, 1998.
Les nuits de la Joconde, roman, 1999.

Antoun, Bernard
Fragments arbitraires, poésie, 1989.

Auger, Louise
Ev Anckert, roman, 1994.

Bernard, Denis et André Gunthert
L'instant rêvé. Albert Londe, préface de Louis Marin, essai, 1993.

Blais, Jeanne D'Arc
Clément et Olivine, nouvelles, 1999.

Boisvert, Marthe
Jérémie La Lune, roman, 1995.

Bonin, Linda

Mezza-Voce, poésie, 1996.
La craie dans l'œil, poésie et dessin, 2000.

Bosco, Monique

Babel-Opéra, poème, 1989.
Miserere, poèmes, 1991.
Éphémérides, poèmes, 1993.
Lamento, poèmes, 1997.

Bouchard, Lise

Le Tarot, cartes de la route initiatique — Une géographie du «Connais-toi toi-même», essai, 1994.

Brochu, André

Les matins nus, le vent, poésie, 1989.
L'inconcevable, poésie, 1998.

Brossard, Nicole

La nuit verte du parc Labyrinthe, fiction, 1992.
La nuit verte du parc Labyrinthe (français, anglais, espagnol), fiction, 1992.

Calle-Gruber, Mireille

Midis - Scènes aux bords de l'oubli, récit, 2000.

Campeau, Sylvain

Chambres obscures. Photographie et installation, essais, 1995.
La pesanteur des âmes, poésie, 1995.

Causse, Michèle

(—) [parenthèses], fiction, 1987.
À quelle heure est la levée dans le désert?, théâtre, 1989.
L'interloquée..., essais, 1991.
Voyages de la Grande Naine en Androssie, fable, 1993.

Chevrette, Christiane

Pain d'Épices *au Royaume de la Voyellerie*, roman jeuneusse, 2001.

Choinière, Maryse

Dans le château de Barbe-Bleue, nouvelles, 1993.
Histoires de regards à lire les yeux fermés, nouvelles et photographies, 1996.
Le bruit de la mouche, roman, 2000.

Cixous, Hélène
La bataille d'Arcachon, conte, 1986.

Collectifs
La passion du jeu, livre-théâtre, ill., 1989.
Perdre de vue, essais sur la photographie, ill., 1990.
Linked Alive (anglais), poésie, 1990.
Liens (trad. de Linked Alive), poésie, 1990.
Tombeau de René Payant, essais en histoire de l'art, ill., 1991.
Manifeste d'écrivaines pour le 21e siècle, essai, 1999.

Coppens, Patrick
Lazare, poésie, avec des gravures de Roland Giguère, 1992.

Côté, Jean-René
Redécouvrir l'Humain — Une manière nouvelle de se regarder, essai, 1994.

Dahan, Andrée
La jeune fille au luth, roman, 2002.

Daoust, Jean-Paul
Du dandysme, poésie, 1991.

de Fontenay, Hervé
silencieuses empreintes, poésie, 2000.

Deland, Monique
Géants dans l'île, poésie, 1994, réédition 1999.

Delcourt, Denise
Gabrielle au bois dormant, roman, 2001.

Deschênes, Louise
Une femme effacée, roman, 1999.
Le berceau des ombres, roman, 2002.

DesRochers, Clémence
J'haï écrire, monologues et dessins, 1986.

Doyon, Carol
Les histoires générales de l'art. Quelle histoire!, préface de Nicole Dubreuil-Blondin, essai, 1991.

Dugas, Germaine
germaine dugas chante..., chansons, ill., 1991.

Duval, Jean
Les sentiments premiers, poésie, 1998.

Fortaich, Alain
La Rue Rose, récits, 1997.
Momento Mori, roman poétique, 2000.

Fournier, Danielle
Ne me dis plus jamais qui je suis, poésie, 2000.

Fournier, Louise
Les départs souverains, poésie, 1996.

Fournier, Roger
La danse éternelle, roman, 1991.

Gagnon, Madeleine
L'instance orpheline, poésie, 1991.

Gaucher-Rosenberger, Georgette
Océan, reprends-moi, poésie, 1987.

Giguère, Diane
Un Dieu fantôme, triptyque, 2001.

Hyvrard, Jeanne
Ton nom de végétal, essai-fiction, 1998.

Lacasse, Lise
La corde au ventre, roman, 1990.
Instants de vérité, nouvelles, 1991.
Avant d'oublier, roman, 1992.

Lachaine, France
La Vierge au serin ou l'intention de plénitude, roman, 1995.

Laframboise, Alain
Le magasin monumental, essai sur Serge Murphy, bilingue, ill., 1992.

Laframboise, Philippe
Billets et pensées du soir, poésie, 1992.

Latif-Ghattas, Mona
Quarante voiles pour un exil, poésie, 1986.
Les cantates du deuil éclairé, poésie, 1998.
Nicolas le fils du Nil, roman poétique, 1999, nouvelle édition augmentée.

Lorde, Audre
Journal du Cancer suivi de *Un souffle de lumière*, récits, en coédition avec les Éditions Mamamélis, Genève, 1998.
Zami: une nouvelle façon d'écrire mon nom, biomythographie, en coédition avec les Éditions Mamamélis, Genève, 1998.

Martin, André
Chroniques de L'Express — natures mortes, récits photographiques, 1997.

Mavrikakis, Catherine
Deuils cannibales et mélancoliques, roman, 2000.

Meigs, Mary
Femmes dans un paysage, Réflexions sur le tournage de The Company of Strangers, traduit de l'anglais par Marie José Thériault, 1995.

Merlin, Hélène
L'ordalie, roman, 1992.

Michelut, Dôre
Ouroboros (anglais), fiction, 1990.
A Furlan harvest: an anthology (anglais, italien), poésie, 1994.
Loyale à la chasse, poésie, 1994.

mino, hélène
Album d'une voyeuse, roman, 2002.

Miron, Isabelle
Passée sous silence, poésie, 1996.
toute petite est la terre, poésie, 2002.

Mongeau, France
La danse de Julia, poésie, 1996.

Moreau, Manon
Faim, récit poétique, 2000.

Morisset, Micheline

Les mots pour séduire ou «Si vous dites quoi que ce soit maintenant, je le croirai», essais et nouvelles, 1997.
États de manque, nouvelles, 2000.

Ouellet, Martin

Mourir en rond, poésie, 1999.
Babel Rage, poésie, 2001.

Payant, René

Vedute, essais sur l'art, préface de Louis Marin, 1987, réimp. 1992.

Pellerin, Maryse

Les petites surfaces dures, roman, 1995.

Pende, Ata

Les raisons de la honte, récit, 1999.
L'équilibre précaire des choses, roman, 2001.

Piazza, François

L'Exil chronique, poésie, 2002.

Prévost, Francine

L'éternité rouge, fiction, 1993.

Rancourt, Jacques

la nuit des millepertuis, poésie, coédition, 2002.

Richard, Christine

L'eau des oiseaux, poésie, 1997.
Les algues sanguine, poésie, 2000.

Robert, Dominique

Jeux et portraits, poésie, 1989.

Rousseau, Paul

Copiés/Collés, poésie, 2000.

Rule, Jane

Déserts du cœur, roman, 1993, réédition 1998.
L'aide-mémoire, roman, 1998.

Savard, Marie
Bien à moi/Mine sincerly, théâtre, traduction anglaise et postface de Louise Forsyth, 1998.
LA FUTURE ANTÉRIEURE, trilogie, 2002.

Sedghi, Nazila
Dans l'ombre des platanes, récits, 2001.

Sénéchal, Xavière
Vertiges, roman, 1994.

stephens, nathalie
Colette m'entends-tu?, poésie, 1997.
Underground, fiction, 1999.
l'embrasure, poésie, 2002.

Sylvestre, Anne
anne sylvestre... une sorcière comme les autres, chansons, ill., 1993.

Tétreau, François
Attentats à la pudeur, roman, 1993.

Théoret, France et Francine Simonin
La fiction de l'ange, poésie, gravures, 1992.

Tremblay, Larry
La place des yeux, poésie, 1989.

Tremblay, Sylvie
sylvie tremblay... un fil de lumière, chansons, ill., 1992.

Tremblay-Matte, Cécile
La chanson écrite au féminin — de Madeleine de Verchères à Mitsou, essai, ill., 1990.

Tremblay-Matte, Cécile et Sylvain Rivard
Archéologie sonore (Chants amérindiens), essai, ill., 2001.

Varin, Claire
Clarice Lispector — Rencontres brésiliennes, entretiens, 1987.
Langues de feu, essai sur Clarice Lispector, 1990.
Profession: Indien, récit, 1996.
Clair-obscur à Rio, roman, 1998.
Désert désir, roman, 2001.

Verthuy, Maïr

Fenêtre sur cour: voyage dans l'œuvre romanesque d'Hélène Parmelin, essai, 1992.

Warren, Louise

Interroger l'intensité, essais, 1999.

Živković, Radmila

De la poussière plein les yeux, nouvelles, 2001.

Zumthor, Paul

Stèles suivi de *Avents*, poésie, 1986.